TIMES

时代

高级汉语报刊阅读教程
（上册）

Newspaper Reading Course of Advanced Chinese（Ⅰ）

［附录］ 成语索引
中文报刊新闻句式
报刊常用文言词
练习参考答案

吴卸耀 常志斌 石旭登 编著

北京语言大学出版社
BEIJING LANGUAGE AND CULTURE
UNIVERSITY PRESS

目　录

附录 1　成语索引 ……………………………………… 1

附录 2　中文报刊新闻句式 …………………………… 6

附录 3　报刊常用文言词

一、指称类

1. 此 (40)　　2. 其 (41)　　3. 之 (44)　　4. 该 (46)

5. 何 (47)

二、引介类

1. 于 (47)　　2. 以 (52)　　3. 以……为…… (55)

4. 将 (56)　　5. 自 (57)

三、连接类

1. 与 (58)　　2. 而 (61)　　3. 而言 (66)　　4. 即 (66)

四、数量类

1. 数 (67)　　2. 余 (67)　　3. 至 (67)　　4. 约 (68)

5. 仅 (68)

五、时间类

1. 近日 (69)　　2. 日前 (69)　　3. 翌日 (69)

4. 昔日 (69)　　5. 迄今 (69)　　6. 尔后 (69)

7. 届时 (70)　　8. 曾 (70)　　9. 已 (70)

六、否定类

1. 无 (70)　　2. 未 (71)

七、肯定类

为 (wéi) (72)

附录 4　练习参考答案 ………………………………… 75

成语索引

(最右列数字为成语所在课课号)

B

百无聊赖	bǎi wú liáolài	9
抱残守缺	bào cán shǒu quē	9
暴风骤雨	bào fēng zhòu yǔ	12
杯水车薪	bēi shuǐ chē xīn	2
标新立异	biāo xīn lì yì	10
别开生面	bié kāi shēng miàn	6
病急乱投医	bìng jí luàn tóu yī	7
拨云见日	bō yún jiàn rì	10
波光粼粼	bō guāng línlín	11
不可或缺	bù kě huò quē	5
不可思议	bù kě sīyì	11
不择手段	bù zé shǒuduàn	10
不知不觉	bù zhī bù jué	9
不知所云	bù zhī suǒ yún	10
步履匆匆	bùlǚ cōngcōng	11

C

彻头彻尾	chè tóu chè wěi	9
成千上万	chéng qiān shàng wàn	4
吃苦耐劳	chī kǔ nài láo	9
持之以恒	chí zhī yǐ héng	11

踌躇满志	chóuchú mǎn zhì	8
出类拔萃	chū lèi bá cuì	7
出谋划策	chū móu huà cè	1
触目惊心	chù mù jīng xīn	2
触手可及	chù shǒu kě jí	5
春风拂面	chūn fēng fú miàn	11
此起彼伏	cǐ qǐ bǐ fú	7
粗制滥造	cū zhì làn zào	7
错落有致	cuòluò yǒu zhì	11
错综复杂	cuòzōng fùzá	2

D

打道回府	dǎ dào huí fǔ	9
大步流星	dà bù liú xīng	11
大惊失色	dà jīng shī sè	12
大惊小怪	dà jīng xiǎo guài	10
大难不死	dà nàn bù sǐ	12
大煞风景	dà shā fēngjǐng	5
大兴土木	dà xīng tǔmù	7
大行其道	dà xíng qí dào	4
大摇大摆	dà yáo dà bǎi	2
大有可为	dà yǒu kě wéi	5
大有人在	dà yǒu rén zài	10
担惊受怕	dān jīng shòu pà	12

当务之急	dāng wù zhī jí	12
堤内损失堤外补	dī nèi sǔnshī	
	dī wài bǔ	1
顶礼膜拜	dǐnglǐ móbài	7
独一无二	dú yī wú èr	5
对症下药	duì zhèng xià yào	10

E

| 耳目一新 | ěr mù yì xīn | 12 |

F

沸沸扬扬	fèifèi yángyáng	7
丰富多彩	fēngfù duō cǎi	6
俯拾皆是	fǔ shí jiē shì	12

G

改头换面	gǎi tóu huàn miàn	7
固步自封	gù bù zì fēng	9
龟缩一团	guīsuō yì tuán	9
裹足不前	guǒ zú bù qián	5

H

浩如烟海	hào rú yānhǎi	7
轰动一时	hōngdòng yì shí	8
后继乏人	hòu jì fá rén	6
后来居上	hòu lái jū shàng	9
厚古薄今	hòu gǔ bó jīn	7
呼之欲出	hū zhī yù chū	4
画蛇添足	huà shé tiān zú	7
慌不择路	huāng bù zé lù	12

会聚一堂	huìjù yì táng	5
浑身解数	húnshēn xièshù	1
活色生香	huó sè shēng xiāng	5

J

急中生智	jí zhōng shēng zhì	12
集思广益	jí sī guǎng yì	1
记忆犹新	jìyì yóu xīn	2
价值连城	jiàzhí lián chéng	5
坚持不懈	jiānchí búxiè	11
坚定不移	jiāndìng bù yí	11
渐行渐远	jiàn xíng jiàn yuǎn	7
交相呼应	jiāoxiāng hūyìng	11
脚下生风	jiǎo xià shēng fēng	11
接二连三	jiē èr lián sān	5
截然不同	jiérán bù tóng	2
近在咫尺	jìn zài zhǐchǐ	5
惊魂出窍	jīng hún chū qiào	12
惊恐万状	jīngkǒng wàn	
	zhuàng	12
敬而远之	jìng ér yuǎn zhī	2
举步维艰	jǔ bù wéi jiān	10
举世闻名	jǔshì wénmíng	7
举足轻重	jǔ zú qīng zhòng	7
拒之门外	jù zhī mén wài	9

K

颗粒无收	kē lì wú shōu	2
口传心授	kǒu chuán xīn shòu	6
苦不堪言	kǔ bù kān yán	12

L

理直气壮	lǐ zhí qì zhuàng	5
寥寥无几	liáoliáo wú jǐ	5
灵机一动	língjī yí dòng	12
屡见不鲜	lǚ jiàn bù xiān	3

M

妙趣横生	miào qù héng shēng	5
灭顶之灾	miè dǐng zhī zāi	1
名副其实	míng fù qí shí	7
名门望族	míngmén wàngzú	7
名正言顺	míng zhèng yán shùn	10
目不斜视	mù bù xié shì	11

N

内服外抹	nèi fú wài mǒ	9
难以为继	nányǐ wéi jì	2
袅袅升起	niǎoniǎo shēngqǐ	8

P

旁若无人	páng ruò wú rén	11
迫在眉睫	pò zài méi jié	12
破茧而出	pò jiǎn ér chū	5

Q

七零八落	qī líng bā luò	12
牵线搭桥	qiān xiàn dā qiáo	8
前所未有	qián suǒ wèi yǒu	8
潜移默化	qián yí mò huà	11
轻描淡写	qīng miáo dàn xiě	3
屈指可数	qū zhǐ kě shù	12
取而代之	qǔ ér dài zhī	7
取之不尽，用之不竭	qǔ zhī bú jìn, yòng zhī bù jié	4

R

燃眉之急	rán méi zhī jí	1
融为一体	róng wéi yì tǐ	6
如期而至	rú qī ér zhì	11
如数家珍	rú shù jiā zhēn	3
软硬不吃	ruǎn yìng bù chī	9

S

三五成群	sān wǔ chéng qún	11
伸手不见五指	shēn shǒu bú jiàn wǔ zhǐ	12
身体力行	shēn tǐ lì xíng	11
神憎鬼厌	shén zèng guǐ yàn	9
声名远播	shēngmíng yuǎn bō	8
视而不见	shì ér bú jiàn	9
手忙脚乱	shǒu máng jiǎo luàn	12
手足无措	shǒu zú wú cuò	12
首战告捷	shǒu zhàn gào jié	8
数不胜数	shǔ bú shèng shǔ	5
束手无策	shù shǒu wú cè	5
束之高阁	shù zhī gāo gé	7
水泄不通	shuǐ xiè bù tōng	9

司空见惯　sīkōng jiàn guàn　12

死里逃生　sǐ li táoshēng　12

死去活来　sǐ qù huó lái　12

四通八达　sì tōng bā dá　11

肃然起敬　sùrán qǐjìng　7

T

滔滔不绝　tāotāo bù jué　9

添丁增口　tiān dīng zēng kǒu　2

听之任之　tīng zhī rèn zhī　9

头痛医头，脚痛医脚 tóu tòng yī tóu, jiǎo tòng yī jiǎo　7

突如其来　tū rú qí lái　10

W

万事大吉　wànshì dàjí　12

万丈深渊　wàn zhàng shēn yuān　9

望尘莫及　wàng chén mò jí　12

望而却步　wàng ér què bù　4

为数不多　wéi shù bù duō　2

惟妙惟肖　wéi miào wéi xiào　6

无动于衷　wú dòng yú zhōng　9

无计可施　wú jì kě shī　10

无所不备　wú suǒ bú bèi　10

无影无踪　wú yǐng wú zōng　9

毋庸置疑　wúyōng zhìyí　7

五彩缤纷　wǔcǎi bīnfēn　2

X

熙熙攘攘　xīxī rǎngrǎng　3

先天不足　xiāntiān bù zú　6

心灰意冷　xīn huī yì lěng　9

心头大患　xīn tóu dà huàn　1

欣喜若狂　xīnxǐ ruò kuáng　9

新陈代谢　xīn chén dàixiè　9

兴旺发达　xīngwàng fādá　10

行之有效　xíng zhī yǒuxiào　2

形影不离　xíng yǐng bù lí　6

雄心壮志　xióngxīn zhuàngzhì　9

Y

延年益寿　yán nián yì shòu　7

依然故我　yīrán gù wǒ　10

一探究竟　yí tàn jiūjìng　3

以不变应万变 yǐ bú biàn yìng wàn biàn　10

以柔克刚　yǐ róu kè gāng　11

一本正经　yì běn zhèngjīng　3

一帆风顺　yì fān fēng shùn　3

一席之地　yì xí zhī dì　10

一应俱全　yìyīng jùquán　11

一枝独秀　yì zhī dú xiù　10

异曲同工　yì qǔ tóng gōng　8

异想天开　yì xiǎng tiān kāi　9

阴云密布　yīnyún mìbù　10

引人注目	yǐn rén zhùmù	5
应有尽有	yīng yǒu jìn yǒu	10
应运而生	yìng yùn ér shēng	10
用武之地	yòng wǔ zhī dì	4
悠扬悦耳	yōuyáng yuè'ěr	5
有识之士	yǒu shí zhī shì	7
与时俱进	yǔ shí jù jìn	8
与世隔绝	yǔ shì géjué	2
雨后春笋	yǔ hòu chūnsǔn	7
语重心长	yǔ zhòng xīn cháng	10
寓教于乐	yù jiào yú lè	5
约定俗成	yuēdìng súchéng	10

晕头转向	yūn tóu zhuàng xiàng	12

Z

争先恐后	zhēng xiān kǒng hòu	8
知之甚少	zhī zhī shèn shǎo	3
至关重要	zhì guān zhòngyào	3
至理名言	zhìlǐ míngyán	12
自食其力	zì shí qí lì	10
自以为是	zì yǐ wéi shì	9
纵横交错	zòng héng jiāocuò	6
足不出户	zú bù chū hù	10

附录 2

中文报刊新闻句式

◈长定语句的功能主要是对事物的范围进行限定或对人物的背景进行介绍。

◈多并列项句的功能主要是同时呈现多种事物或现象。

◈同位结构在报刊新闻中的功能主要是通过身份的介绍来增加信息来源的权威性。

第一课　气候变化

■课文

◈长定语句

(1) <u>此前曾主持在哈尔滨、南京、广州等城市研究气候变化对心脑血管疾病、呼吸系统疾病死亡及人口总死亡影响的</u>金银龙指出，……

(2) 研究发现，<u>心脑血管疾病、呼吸系统疾病</u>患者死亡率与气温的关系密切，……

(3) 高温或低温都可使死亡增加，这与<u>日本在横滨、东京等城市的</u>研究结果基本一致。

(4) 某些<u>冰川融化释放的</u>远古病毒会与现代的一些病毒基因进行交换，衍化出类似 SARS 的新型病毒。

(5) 臭氧在空气当中是强氧化剂，<u>对人的</u>黏膜、呼吸道刺激性比较大，……

(6) 同时，<u>温室气体中以氟氯烃为主的</u>气体对臭氧层有极大的破坏性，会导致阳光中紫外线辐射增加，使<u>皮肤癌、白内障等的</u>发病率明显上升。

(7) 气候变暖还会增加<u>洪水、干旱等</u>自然灾害的发生频率，造成水传播疾病的流行；……

(8) 空气中某些有害物质，如花粉等，随温度和湿度的增高，浓度也会增加，使<u>人群过敏性疾病的</u>发病率增加。

❖ 多并列项句

(1) 气象要素影响人体，主要是<u>光、热、水、气</u>通过人体感受器官对人体产生影响。

(2) <u>麻疹、流脑、猩红热</u>流行于冬春季，<u>霍乱、痢疾</u>等消化道疾病多发于夏季。

(3) 气候持续变暖，为虫媒及病原体的<u>寄生、繁殖和传播</u>创造了适宜条件，扩大了其流行程度和范围。

(4) 气候变暖除了直接影响人体外，还可以通过改变<u>降雨量、风速、湿度</u>等气象条件来影响大气污染物浓度，进而间接影响人类健康。

(5) 河水温度上升会改变水体的生物化学过程，促进<u>河流里废弃物分解、藻类和细菌增长</u>等，使水质下降；……

(6) 从小处着手，如<u>少用一次性木头筷子、减少使用塑料袋、少开汽车</u>等。

❖ 同位结构

(1) <u>中国气象局国家气象中心应用气象室主任</u>赵琳娜和<u>中国疾病预防控制中心环境与健康相关产品安全所所长</u>金银龙对此作出了解读。

练习六短文（一）

❖ 长定语句

(1) 一家一户的饲养模式缺乏对<u>动物计划免疫和病畜淘汰净化的</u>监管机制等，这些都给了病毒传播的机会。

(2) 传染病搭上了<u>全球化、城市化等现代社会生活方式的</u>"便车"。

(3) 物流速度加快则易于<u>病畜、带菌（毒）肉类的</u>扩散。

❖ 多并列项句

(1) 这类传染病发生率越来越高，可以从<u>传染源、传播途径和易感人群</u>三个方面找到原因。

(2) 近 30 年来，人类的一些社会、经济行为破坏了原有的自然生态平衡，促使病原体在<u>致病性、抗原性、传播途径</u>等方面都发生了改变，……

(3) <u>集中圈养或工厂式饲养</u>密度过高，通风不良，消毒不及时，都会导致动物传染病流行；……

(4) 人口密集、流动加快、交通工具越来越发达，使得人类与致命病菌接触的机会大增。

(5) 如人畜粪便、生活垃圾、生活污水是造成农村肠道传染病与寄生虫病高发的主要原因；……

(6) 滥用抗生素、生活环境改变、生活工作压力大，都会使人体质变弱，免疫能力下降，从而更容易感染疾病。

◈同位结构

(1) 中国疾病预防控制中心传染病预防控制所副所长卢金星研究员告诉记者，……

(2) 北京地坛医院主任医师蔡皓东接受记者采访时说，……

■练习六短文（二）

◈长定语句

(1) 在中华环保基金会等联合举行的"能源、城市与气候变化"2009年北京大学第四届国际大学生环境论坛上，……

(2) 目前地球正经历一场以变暖为主要特征的气候变化。

◈多并列项句

(1) 水稻、玉米和小麦三大粮食作物，除小麦外都在减产；……

◈同位结构

(1) 中国科学院院士秦大河表示，……

第二课　生物多样性

■课文

◈长定语句

(1) 浙江省宁海县越溪乡小林村的一个水产养殖场每年损失几万元至几十万元，……

(2) 像这样放弃水产养殖的农户，小林村有 100 多户。

(3) 福建东部沿海的罗源、宁德、福安、霞浦、福鼎等县市的 20 个沿海乡镇的滩涂也被大米草侵占，受害面积达 100 平方公里，占可养殖滩涂的一半以上。

(4) 截至 2006 年，福建、辽宁、河北、山东、江苏和广东发现大米草的分布总面积约 80 万公顷，……

(5) 作为大米草同宗兄弟的互花米草，是 1979 年从美国引进的又一适宜在海滩潮间带生长的耐盐、耐淹植物，可以抗风防浪、保滩护堤。

(6) 1990 年，仅福建宁德东吾洋一带的水产业年损失就达 1000 万元以上。

(7) 这一对米草属的"孪生兄弟"是海洋入侵物种类型——大型盐碱植物的典型代表。

(8) 原产于北大西洋沿岸及墨西哥湾的美国红鱼作为海洋脊椎动物的代表，于 1991 年引入我国海水养殖业，后得到迅速推广。

◈ 多并列项句

(1) 它具有耐盐碱、耐潮汐淹没、繁殖力强、根系发达等特点，……

(2) 大米草还毁灭性地破坏近海生物栖息环境，抑制甚至杀死其他物种，致使大片红树林消失，滩涂鱼、虾、贝等海洋经济生物纷纷被赶走，滩涂上的海带、紫菜因缺乏营养而逐年减产，原来生活在这里的 200 多种生物现仅存 20 多种。

(3) 现在，互花米草已经在上海（崇明岛）、浙江、江苏、福建、广东、山东和香港等地大面积逸生。

(4) 它们分别是海洋病原性微生物、海洋微小型藻类、海洋无脊椎动物和脊椎动物。

(5) 桃拉病毒、淋巴囊肿病毒和大菱鲆虹彩病毒是海洋病原性微生物的代表，……

(6) 海洋无脊椎动物的代表是沙筛贝和虾夷马粪海胆，前者主要分布在福建、广东、广西、海南、台湾和香港，后者分布在辽东和山东半岛沿岸。

(7) 1990 年和 1993 年，沙筛贝在福建厦门马銮湾、福建东山海岸基石和养殖设施表面大量出现，几乎把当地数量繁多的贻贝、牡蛎和菲律宾蛤仔等都排挤了。

(8) 经初步调查，目前我国<u>海洋和海岸、滩涂</u>约有 141 种外来物种，这些种隶属于<u>原核生物界、原生生物界、植物界和动物界</u>4 个界 12 个门。

(9) 它们通过<u>船底、外轮压舱水携带以及人为引进</u>等途径进入我国海区，……

◈同位结构

(1) <u>海洋生物学家王春生教授</u>告诉记者，……

■练习六短文（一）

◈长定语句

(1) 这种<u>天生就没有双眼的</u>鱼类用它奇特的身体构造向我们展示了<u>地球上另外一种截然不同的</u>生存方式。

(2) 它们将作为<u>中国科学院昆明动物研究所鱼类标本库的</u>珍稀鱼类标本永远保存起来。

(3) 这也可能是<u>世界上最早的有关洞穴鱼类的</u>确切文字记录，并被当地人世代传诵流传至今。

(4) 让<u>大自然千百年来留给人类的</u>这一宝贵自然遗产、珍稀的鱼类物种能够永远存活下去。

◈多并列项句

(1) 这些特征包括<u>眼睛退化、色素消失、鳞片数目减少或消失，而感觉系统高度发达</u>等。

(2) 它们终生生活在无阳光的环境下，发生适应性演变而形成一群特殊的鱼类，共有<u>全盲、半盲、眼睛显著变小</u>等多种类型。

(3) <u>独特的生存环境、离地表深浅及不同穴居类型</u>，形成不同亚科的盲鱼，……

(4) 一直到 1991 年 6 月中国科学院昆明动物研究所获得两号宝贵的标本，才鉴定并确认为<u>鲤科、鲃亚科、金线鲃属</u>一新种，并以最早记载的俗名命名为透明金线鲃。

(5) 白天洞内<u>五彩缤纷的景光灯、游船撞击声、游客喧哗声</u>，一改昔日寂静黑暗的环境，……

(6) 透明金线鲃的现状如何、旅游如何影响洞穴鱼类、其生长速度如何、眼睛变盲的规律如何等一系列问题一直困扰着动物学专家们，……

(7) 三洞分别是泸源洞、玉柱洞和碧玉洞，……

❀同位结构

(1) 昆明动物研究所的鱼类专家崔桂华告诉记者，……

(2) 科研团队的另外一位队员杨剑博士说。

■练习六短文（二）

❀长定语句

(1) 在位于非洲赞比亚和津巴布韦交界的赞比西河谷，一项由环保组织 WCS 和 EPDT 发起的以种植红辣椒来防止非洲象破坏农作物的项目正在开展。

(2) 野生象爱吃各种粮食作物，但对红辣椒火烧火燎般的强烈刺激却显然无法忍受。

(3) 这是一种富有创造性且行之有效的保护野生动物和农民利益的方法。

❀多并列项句

(1) 当地农民在他们的粮食作物周围种植红辣椒，形成一个缓冲带，用以保护中间的玉米、高粱和其他作物。

(2) 而且红辣椒本身作为一种有价值的经济作物，收获以后在当地被制成辣椒酱、辣椒粉和调味品，又给农民们增加了一份可观的收入。

第三课　　绿色生活

■课文

❀长定语句

(1) 家住北京西五环附近的侯小姐下楼去超市买东西，……

(2) 倒不是舍不得从超市买塑料袋的两毛钱，现在很多人从超市出来都是拎着各种可重复使用的购物袋，……

(3) 明确规定在全国范围内禁止<u>生产、销售、使用</u><u>厚度小于 0.025 毫米</u>的塑料购物袋，……

(4) <u>一些购买塑料购物袋</u>的人表示，……

(5) 而<u>拎布袋等环保购物袋</u>的消费者却是少数。

(6) 在<u>免费提供塑料袋</u>的零售场所，有 42.28% 的消费者会经常接受免费塑料袋，……

(7) <u>家住北京西城</u>的曹大妈，一年来养成了攒塑料袋的习惯。

(8) <u>长期从事"减塑"宣传</u>的文衡凤表示，……

(9) 超市这种<u>引导消费者购买塑料购物袋</u>的做法，实际上与"限塑令"初衷相悖，……

(10) 一些超市正是看中了<u>销售塑料购物袋或"环保购物袋"</u>中所蕴涵的利润，……

(11) 而且绝大部分农贸市场继续全部或部分提供<u>国家明令禁止生产</u>的超薄塑料袋。

(12) <u>非法生产、非法流通、非法使用</u>的情况还相当普遍，……

◈ 多并列项句

(1) 明确规定在全国范围内禁止<u>生产、销售、使用</u>厚度小于 0.025 毫米的塑料购物袋，……

(2) 明确规定……所有<u>超市、商场、集贸市场</u>等商品零售场所一律不得免费提供塑料购物袋。

(3) 大部分消费者会重复使用各种购物袋，包括<u>布袋、编织袋、重复使用的塑料袋、随身的背包</u>，有的人甚至直接用手拿商品。

(4) 如果不在<u>企业、经营者、消费者</u>中间全面培养环保理念，加强监管打击力度，"限塑令"的效力将减弱。

◈ 同位结构

(1) <u>此次调查的负责人</u>文衡凤说。

(2) <u>国际食品包装协会秘书长、著名环保人士</u>董金狮认为，……

练习六短文 (一)

◈ 长定语句

(1) 低碳，简言之，就是减少二氧化碳排放，这是一种<u>低能量、低消耗、低开支的</u>生活方式。

(2) 他是<u>山西大学环境与资源学院环境科学专业二年级的</u>学生。

(3) <u>中北大学环境工程系的</u>李辉说，……

(4) "低碳"生活并不难，只要注重细节，抱着一颗<u>为自己、为他人、为社会节约的</u>心态，从小事做起就行。

(5) 他书桌上贴着一张<u>写满"低碳"生活习惯的</u>作业纸：……

(6) <u>家住海边街 8 号的</u>陈阿姨就是"低碳"生活爱好者。

(7) "低碳"生活提倡的节约不仅是我国的传统美德，也是<u>落实科学发展观、构建和谐社会及建设节约型社会和生态文明的</u>综合创新与实践。

◈ 多并列项句

(1) 越来越多的市民关注的不仅是<u>"低脂""低盐""低糖"</u>，还有"低碳"。

(2) 大家应积极提倡并实践"低碳"生活，注意<u>节电、节油、节气</u>，从我做起，从身边小事做起。

◈ 同位结构

(1) <u>山西省社科院丁润萍副研究员</u>说，……

练习六短文 (二)

◈ 长定语句

(1) 这正是<u>政府鼓励市民以自行车代替汽车出行的</u>举措之一。

(2) 伦敦市民在不久的将来也将享受到<u>在 400 个市内租赁站租借自行车的</u>便捷服务，……

(3) 但<u>自行车运动适合各种年龄层的</u>特性使之受到了大众的喜爱。

(4) <u>这个人口只有 1600 万的</u>国家却拥有 1800 多万辆自行车。

(5) 数十年来，在政府的支持和引导下，<u>包括女王贝娅特丽克丝在内的</u>众多荷兰人都与自行车结下了不解之缘：……

(6) 同时，<u>荷兰国内与自行车相关的</u>基础设施也相对完善，不仅各城市都设有<u>与主干道区别明显的</u>自行车道，火车站等公共场所还有专门的"存车处"，……

(7) 可以说，自行车已经晋升为<u>继风车、郁金香和木鞋之后</u>荷兰的又一张"国家名片"。

(8) 该服务在<u>缓解交通压力和减少污染的</u>同时，也遭受了重大的损失：……

◈多并列项句

(1) <u>主妇骑车买菜，白领骑车上班，甚至警察骑车巡逻在</u>荷兰都是屡见不鲜的景象。

◈同位结构

(1) 5月3日，<u>韩国总统李明博</u>在出席"韩国第一届自行车节"活动时，……

(2) <u>前大臣多纳尔</u>被称做"自行车狂"，……

第四课　环保产业

课文

◈长定语句

(1) 人类生活的这个星球，日益迫切地感受着<u>传统化石能源消耗带来的</u>压力。

(2) <u>以太阳能、风能等为代表的</u>可再生能源让人们看到了曙光，……

(3) 了解可再生能源的"家族"，不仅有助于了解<u>人们生活的这个星球的</u>现状，更是对未来的积极把握。

(4) 尽管<u>太阳辐射到地球大气层的</u>能量仅为其总辐射能量的22亿分之一，但已高达173,000 TW，也就是说，<u>太阳每秒钟照射到地球上的</u>能量相当于<u>500万吨煤产生的</u>能量。

(5) 狭义的太阳能则限于<u>太阳辐射能的光热、光电和光化学的</u>直接转换。

(6) 目前，我国太阳能产业规模已位居世界第一，是<u>全球太阳能热水器生产</u>

量和使用量最大的国家和重要的太阳能光伏电池生产国。

(7) 奥运会场馆周围 80%至 90%的路灯利用太阳能光伏发电技术；……

(8) 风是一种由太阳辐射热引起的自然现象。

(9) 到达地球的太阳能中大约 2%转化为风能，可别小看这 2%，它要比地球上可开发利用的水能总量大 10 倍。

(10) 风能无污染，蕴藏量大，分布广泛，永不枯竭，对交通不便、远离主干电网的岛屿及边远地区尤为重要。

(11) ……在生产过程中不产生污染环境的烟雾。

(12) 生物质能是绿色植物通过叶绿素将太阳能转化为化学能而贮存在生物质内部的能量。

(13) 生物质能是人类利用最早、最多、最直接的能源，……

(14) 因海水涨落及潮水流动所产生的能量称为潮汐能。

(15) 只有出现大潮，能量集中时，并且在地理条件适于建造潮汐电站的地方，从潮汐中提取能量才有可能。

(16) 我国的海区潮汐资源相当丰富，潮汐类型多种多样，是世界海洋潮汐类型最为丰富的海区之一，……

❖多并列项句

(1) 广义的太阳能包括风能、水能、海洋温差能、波浪能和生物质能以及部分潮汐能等，……

(2) 眼下正着力建设新疆达坂城、甘肃玉门、苏沪沿海、内蒙古辉腾锡勒、河北张北和吉林白城 6 个百万千瓦级大型风电基地。

(3) 在生物质能中，可以作为能源利用的主要是农林业的副产品以及人、畜粪便和垃圾等有机废弃物。

(4) 生物质能……仅次于煤炭、石油和天然气，……

■练习六短文（一）

❖长定语句

(1) 欧盟于去年制定了可再生能源发展目标，计划到 2020 年将可再生能源发电量占总发电量的比例提升到 20%，希望以此应对气候变化并减少<u>欧洲</u><u>对不可再生能源如石油、天然气的进口</u>。

(2) 这份报告指出，提高<u>可再生能源在能源中的</u>份额，不仅不会危及经济发展，反而会刺激经济增长，创造更多就业。

(3) 德国现在就尝到了<u>绿色能源行业发展的</u>甜头，可再生能源行业给德国带来了 35 万个就业岗位，占<u>欧洲所有国家这一行业岗位数量的</u>1/4。

(4) 考虑到 2008 年的市场状况，<u>针对可持续能源的私人投资在去年下半年的</u>停滞不前并不十分令人惊讶，……

(5) 从前景来看，可再生能源会带来<u>促进经济发展、减缓气候变化以及确保能源安全这三个方面的</u>效益。

(6) 目前的国际金融危机不能延缓<u>世界各国应</u>对能源供应和减少温室气体排放问题的行动。

(7) 而国际能源署的报告将作为<u>丹麦哥本哈根气候变化会议制订全球行动框架的</u>基础文件之一。

◈多并列项句

(1) <u>芬兰、瑞典及拉脱维亚</u>也是使用可再生能源的赢家，……

◈同位结构

(1) <u>德国 RWE 能源公司的首席营运官凯文·麦克鲁夫</u>认为：……

(2) <u>国际能源署（IEA）总干事田中伸男</u>表示，……

■练习六短文（二）

◈长定语句

(1) 由于价格太贵和使用不便，即使在<u>环保理念领先的欧洲</u>，<u>电动汽车、混合动力车等新能源汽车的</u>市场份额，到 2020 年也仅能达到 10%~15% 左右。

(2) 但<u>配套设备和设施的</u>发展始终相对滞后，其中充电站的问题比较突出。

(3) 目前法国、德国等汽车大国都还没有形成大规模的充电网络，仅在一些电动汽车试运行的地区才能见到少量充电站。同样,在鼓励发展新能源汽车的美国,也出现了类似的困境。

(4) 电动汽车所用的锂电池仍没有解决有效性和使用寿命问题。

(5) 油电混合动力车所需的锂电池造价昂贵,……

(6) 这些都是新能源汽车发展道路上迫切需要拆除的"路障"。

(7) 总部位于美国硅谷的"美好空间"公司认为,……

(8) 出于这些考虑,"美好空间"公司提出了颇具创新性的新能源汽车充电基础设施建设思路。

(9) 通过分布在居民区、商厦、停车场和政府大楼等处的成千上万个充电站组成的网络,可以让位于该网络覆盖范围内的消费者随时随地为自己的电动汽车充电。

(10) 这种模式将使消费者节省购买电池的费用,……

(11) 马林斯还对中国政府大力扶持电动汽车和绿色技术研发的做法给予积极评价。

(12) 通过出台适当的政府激励措施,生产出对消费者有吸引力的汽车,……

◈多并列项句

(1) 汽车电池价格昂贵、充电时间过长、充满电后行驶里程有限……这些都是新能源汽车发展道路上迫切需要拆除的"路障"。

◈同位结构

(1) 法国能源问题专家让·希罗塔指出,……

(2) "美好空间"公司发言人朱莉·马林斯解释说,……

第五课　博物馆文化

课文

◈长定语句

(1) 但令人困惑的是,面对着人流井喷带来的庞大市场,有些博物馆束手无策，有些博物馆甚至仍然难以维持生计。

(2) 究其原因，主要是旧的管理体制和思想观念的滞后，成了博物馆文化产业发展的障碍。

(3) 在文物得到有效合理的保护之后，如何挖掘其中的文化内涵、发展文化产业，成为当前许多博物馆发展面临的主要问题。

(4) 这是博物馆免费开放之后应着重考虑的事。

(5) 玩偶博物馆有如何制作玩偶的讲座，有专门为娃娃做衣服的裁缝，还有特别的玩偶医院。

(6) 博物馆志愿者带领孩子们重温 400 多年前荷兰水手的生活，……

(7) 而能够这么理直气壮地称自身"不差钱"的博物馆不多，……

(8) 上博多年来坚持产业开发的路子，出版书法、古籍拓本等珍贵文物的复制品和收藏品获得了巨大的成功，……

(9) 如果一个展品连续 6 天观众停留的时间不到 10 秒，那就撤掉。

(10) 他们还增加了许多观众参与互动的环节，并将仓库、实验室及博物馆研究人员的工作场景展示给公众。

(11) 鼓励博物馆开展与传播历史文化相关的文化商品及文化服务的生产活动，走出了一条将文化事业与文化产业、非营利文化与营利文化、政府投资与民间投资相结合的博物馆发展之路。

(12) 策划开发兼具人文内涵和互动娱乐性的节庆活动，既能彰显地方历史文化的个性，也能吸引观众。

(13) 陕西博物馆目前具有自主创新品牌或独立知识产权而且具有收藏和经济价值的文物相关产品寥寥无几。

(14) 一块并不起眼的秦兵马俑地砖的图案吸引了他们，……

(15) 这块秦朝时期的花纹地砖上面的纹路，竟然和国际时尚品牌 LV 流行的棋盘格子包包图案的相似度达到了 90%。

(16) 这成为我们策划兵马俑在台湾展出的一大营销卖点。

◈ 多并列项句

(1) 除了传统的保护、陈列、展示三大业务之外，博物馆还应该有什么作为呢？

(2) 国家文物局和陕西省委、省政府及省文物局和全国文博单位文化产业专家学者，韩国、日本博物馆代表和我国香港、台湾地区文化企业公司专家及内地民营博物馆代表 100 人会聚一堂，……

(3) 通过对文物、文化资源的合理利用和开发获得经济效益，反哺文物保护，改善设施和展陈方式，为更多的社会公众服务，是博物馆的一条可行之路。

(4) 各种展览和活动都很仔细地按照年龄段来细分，仅针对孩子的就有自制乐器、制作中世纪羊皮卷乐谱、举办模拟中世纪宫廷宴会等活动。

(5) 游客可以用古老的工具采摘葡萄，榨葡萄汁，酿造葡萄酒，品尝佳酿，犹如在千百年的历史中自由穿梭。

(6) 四川成都武侯祠博物馆近年来不断创新，策划系列文化活动已成为其营销手法之一，如举办大型庙会活动、三国军阵换岗仪式、孔明苑诸葛亮专题陈列、《激战三国》互动游戏等系列活动，……

❖ 同位结构

(1) 台湾中华文物学会副会长张克晋多年来行走于世界各地和两岸文物艺术界，……

(2) 上海博物馆研究员陶喻之说：……

(3) 而据故宫博物院经营开发处处长杨晓波介绍，……

(4) 上海延华多媒体有限公司总经理郑宪认为，……

(5) 台湾祥泷股份有限公司总经理郑瑶婷表示，……

■ 练习六短文（一）

❖ 长定语句

(1) 家住北京东郊的陈大爷是个"博物馆迷"，……

(2) 这位"2006 北京十佳志愿者"中唯一的外国人，为北京的博物馆事业做了不少有意义的事。

(3) 这种出于对民族文化和博物馆本身的热爱，也有利于大家文化知识的学习。

❖ 多并列项句

(1) 从概念上讲，旅游初期是看一看自然景观，如山、水、石头、树木等。

(2) 除免费开放外，各级政府、博物馆及博物馆爱好者开展了各项活动，……

❖同位结构

(1) 人群中，<u>身着短袖对襟唐装的</u> 67 岁美国人杜大卫格外引人注目。

(2) <u>国家文物局副局长、新闻发言人</u>张柏 5 月 12 日做客人民网时说。

(3) <u>观复古典艺术博物馆馆长、著名收藏家</u>马未都认为，……

(4) <u>中央民族大学民族博物馆志愿者中心主任</u>原媛告诉笔者，……

■ 练习六短文（二）

❖长定语句

(1) 今年 5 月 18 日，在首钢北京石景山厂区，<u>一列由旧机车改造而成的</u>小火车搭载着数十名特殊的客人，沿着<u>当年维系首钢运转的</u>运输路线，开始了一次特殊的行程。

(2) 有的则是想领略一下<u>正在搬迁中的</u>首钢风貌。

(3) 这种主题特色突出的新兴旅游形式，满足了<u>旅游者求知、求新、求奇的</u>需求，……

(4) 近年，<u>由大型军工企业厂房几经辗转蝶化而成的</u> 798 艺术区，作为首都新"名片"闻名世界；……

(5) 在上钢十厂冷轧带钢厂原址上，上海城市雕塑艺术中心破茧而出，成为<u>全国第一个以城市雕塑为主体的</u>艺术馆，引来游人如织……

(6) 这类<u>由"厂房"变为"科普读本"的</u>事例，已是数不胜数。

(7) 对于那些<u>具有历史学、社会学、建筑学和科技、审美价值的</u>废弃厂房，切莫急于将高炉烟囱简单地推倒铲平，……

❖多并列项句

(1) 这就是"工业遗产旅游"。通俗地说，就是通过<u>废弃的工业旧址、老旧的机器设备、厂房建筑</u>等，再现原厂的风貌、工业生产流程、工人工作生活场景。

第六课　非物质文化遗产

■课文

❖长定语句

(1) "指南针计划——中国古代发明创造的价值挖掘与展示"（下称"指南针计划"）从今年开始进入第二阶段，即<u>全面展开、多领域专题研究和展示宣传</u>阶段。

(2) 2005 年，国家文物部门提出<u>系统开展实证中国古代发明创造的文化遗产的价值挖掘与展示专项</u>的构想，并得到了<u>财政部、科技部等各有关部门</u>的大力支持和帮助。

(3) <u>被誉为古代造纸"活化石"的四连碓造纸作坊</u>，位于浙江省温州市瓯海区的一个小镇——泽雅。

(4) <u>产量低、质量差、成本高的先天不足</u>使得泽雅这个造纸之乡逐渐放弃高端书画用纸生产，转向<u>质量较差但适应社会基本层面市场</u>的鞭炮衬纸等。

(5) <u>我国古代以纸为载体</u>的文化遗产很多，进行修复最好是用<u>当时的</u>或者是接近于当时的纸张。

(6) 而对<u>造纸等实证我国古代发明创造</u>的文化遗产开展调查、系统整理、研究展示和抢救传承工作则正是"指南针计划"实施的初衷。

(7) 与手工造纸一样，<u>代表中国古代丝绸印染技术发展高峰</u>的夹缬也面临着困境，曾经的辉煌也难掩其多舛的命运。

(8) 直到 20 世纪 80 年代，<u>浙江南部温州地区民间流存</u>的夹缬作品才意外地被发现。

(9) 夹缬是用<u>两块雕刻成凹凸对称的花板</u>夹持织物，……

(10) 然后进行<u>夹缬技术包括夹板工具和夹缬染色工艺</u>的科技复原研究，……

❖多并列项句

(1) "指南针计划"由<u>农业、水利、矿冶、轻工、纺织、食品、营造、人居环境、交通、机械与仪器、军事技术、医疗技术、文化传播、数字化展</u>

示等 14 个主体类项目，以及<u>总体战略规划研究、专项调查、建章立制、机构建设、基础数据库（群）及门户网站建设、教育与培训、展览展示、学术交流、舆论宣传</u>等 9 个基础类项目，共计 23 个项目组成。

(2) 该计划的实施，将逐步树立中国古代发明创造的科学地位，深入挖掘展示中国古代发明创造的<u>历史价值、科学价值和艺术价值</u>。

(3) 泽雅、瑞安等地的先民，为了<u>合理利用水资源，并同时解决环境污染等一系列人居和生产永续循环问题</u>，巧妙地布置造纸工艺流程，……

(4) 为了制作染料，先要采摘蓝靛草，然后<u>下坑、搅浆、打花、出靛、上缸、储藏</u>，历时 20 天左右才能制成靛青，……

(5) "古代纺织发明创造文化遗产科学价值试点——古代夹缬工具与技术复原"项目的目标是对夹缬的<u>历史文献、出土文物和民间工艺</u>进行最大规模的调查和整理，……

(6) <u>指南针、火药、活字印刷术、造纸术</u>——中国古代四大发明历来被认为是中国古代科技的最高水平。

(7) 除了<u>指南针、火药、活字印刷术和造纸术</u>四大发明，还有<u>十进位制、赤道坐标系、瓷器</u>等重大发明。

(8) "指南针计划"将让我们重新审视我国古代科技创新的辉煌历程，营造<u>当今自主创新的科技体制、教育体制和社会环境</u>，……

◈ 同位结构

(1) <u>国家文物局局长单霁翔</u>说。

(2) <u>作为"指南针计划"中文化传播类主体项目文本的主要编纂者之一，北京大学考古文博学院文化遗产系主任杭侃</u>近期……

(3) <u>主持"指南针计划"试点的主体类项目之一，即"古代纺织发明创造文化遗产科学价值试点——古代夹缬工具与技术复原"的中国丝绸博物馆副馆长、东华大学教授赵丰</u>介绍，……

(4) <u>指南针、火药、活字印刷术、造纸术——中国古代四大发明</u>历来被认为是……

(5) 但正如<u>科技史专家李约瑟</u>曾提出的，……

练习六短文（一）

◈长定语句

(1) 智化寺始建于 1444 年，初为<u>明英宗时期的大太监王振所建的</u>敕造寺院，……

(2) 京音乐听的是板眼，不是热闹，<u>喜欢这种音乐的</u>人不多。

◈多并列项句

(1) 但目前傅文刚的艺术团处于"三无"境况：<u>无固定收入，无固定演出场所，无固定表演人员</u>。

◈同位结构

(1) <u>中国民俗学会名誉理事长乌丙安</u>同本报记者一起……

(2) <u>第四代传人吴定寰</u>师从<u>清代宫廷御医夏锡五</u>，……

(3) <u>第五代传人刘刚</u>为护国寺中医院中医骨科主任医师，……

练习六短文（二）

◈长定语句

(1) 这台<u>被称为"中国第一部袖珍人皮影舞台剧"的</u>《红孩儿》是根据《西游记》故事改编的，……

(2) 而且更加令人惊奇的是，主要演员 20 多人全部是<u>身高不足 1.3 米的</u>"袖珍人"！

(3) 正当<u>大家陶醉在皮影戏精美表演中的</u>时候，大舞台上灯光突然一亮，<u>后台操纵皮影的</u>袖珍演员竟然扮成了自己操纵的影人，……

(4) <u>从朝阳区带孩子专门来到现场看戏的</u>张女士说，……

(5) 这台<u>定位为"皮影舞台剧"的</u>《红孩儿》其实是一次重要尝试，皮影如何突破小台子的局限登上大舞台，一直是<u>困扰皮影艺术发展的</u>难题之一，……

(6) 这部作品更大的意义在于，他们为<u>海淀区乃至北京市的非物质文化遗产</u>的保护工作提供了全新的参考。

◈同位结构

(1) 这部舞台剧的出品人林中华介绍，……

(2) 北京市海淀区创意产业协会秘书长王蔚表示：……

第七课　世界遗产

■ 课文

◈长定语句

(1) 当时世界遗产委员会以"作为一座竣工时间不足 10 年，建筑设计者尚且健在的建筑作品，悉尼歌剧院还无法证明其自身具有杰出价值"的理由予以否决。

(2) 甚至"9·11"恐怖袭击后世贸双塔残存的一段楼梯，也被美国国家历史保护基金会予以保护下来，成为这一重大历史事件的唯一物质见证。

(3) 同较早的古代遗产相比，20 世纪文化遗产同样是具有代表性的人类文明的产物，是人类文明创造的历史见证，具有历史、科学、文化、社会、精神等方面的重要意义。

(4) 近代遗产，特别是同古典现代风格相联系的各类古迹遗址，是人类共同遗产中不容忽视的部分。

(5) 巴塞罗那 20 世纪初由高迪创作的奇异的建筑作品，融汇了诸多设计风格元素，……

(6) 20 世纪是人类文明进程中变化最快的时代，20 世纪文化遗产直观反映了人类社会变迁中这一最剧烈迅速的发展进程。

(7) 如果我们身处宝山而不自知，不把其中最珍贵的部分保护下来，其承载的 20 世纪中国社会发展的历史信息将会受到损失。

(8) 20 世纪文化遗产保护是中国乃至世界文化遗产保护领域的前沿课题；……

(9) 如果没有清醒的认识和公众的支持，20 世纪文化遗产必然会面临比早期文化遗产更严峻、更危险的局面。

(10) 身在这座城市里的每一个人都有义务担当起自己的责任，……

◈多并列项句

(1) 说起文化遗产，人们首先想起的就是金字塔、雅典卫城、长城、故宫这些"名门望族"。

(2) 目前《世界遗产名录》中的20世纪遗产已有30余处，如独具特色的建筑物、著名艺术流派诞生地、工业厂房和景观等。

(3) 面对数量庞大的该类建筑物或建筑群，如何加以选择，建立运行保护和修复体系也是一个难题。

(4) 一些存在仅数十年的城市园林、体育场、飞机场、纪念碑、雕塑、工业中心、供水系统、港口码头、海上石油钻探平台以及粮仓、铁路、生产线等也同样得到了尊重和保护。

(5) 近10年来，被列入世界文化遗产名录的20世纪文化遗产数量不断增多，其中既包括出类拔萃的建筑物，如歌剧院、音乐厅、市政厅、医院、广播电台、住宅、城堡、别墅、公墓等，也包括独具特色的城镇、布局合理的大学校园、著名艺术流派的诞生地以及昔日举足轻重的工业厂房和景观等。

◈同位结构

(1) 中国国家文物总局局长单霁翔介绍，……

(2) 著名古建筑保护专家、中国文物学会名誉会长罗哲文介绍，……

练习六短文（一）

◈长定语句

(1) 我国的福建土楼成功入选《世界遗产名录》，再一次引发了国人对文化遗产保护的关注。

(2) 一个民族的文化遗产是这个民族的祖先留给今天的物质与精神财富……

(3) 以历史学家休伊森为代表的"反遗派"认为，文化遗产在英国雨后春笋般出现，揭示着英国人对国家和文化自信心的衰落。

(4) 一个<u>沉迷于和自己的过去玩游戏的</u>民族，注定要被淹没在人类的历史进程中。

(5) 而历史的真相则早已在<u>它成为"遗产"的</u>那一刻被遗忘了。

(6) 他们批判所谓的遗产并不是人民大众的遗产，而是<u>少数"文化贵族"所控制的</u>文化资本。

(7) 美国的文化遗产保护吸取了<u>英国的过度沉醉于历史和过度"贵族化"的</u>教训，……

(8) 我们在<u>认真对待历史、保护遗产的</u>同时，要时刻保持一种向前看的姿态，决不能沉迷于过去。

(9) 与此同时，<u>其他诸如故宫、长城等皇家色彩浓重的</u>遗产，也需要尝试在保护与旅游开发过程中注入更多的平民情怀：……

练习六短文（二）

◈ 长定语句

(1) <u>悠久历史在埃及留下的各类文化遗址</u>大约占世界文化遗址总量的30%。

(2) 可是考古研究几乎没什么发现，使得后来的重建工作基本是在<u>没有多少历史资料可资借鉴的</u>情况下进行的。

(3) 最后的方案是既要适应21世纪的特点，又要能与亚历山大这座<u>充满欧、亚、非异国文化情调的</u>"历史之都"相融洽，……

(4) 埃及文物部门采取了<u>出卖考古项目电视拍摄权的</u>形式获取资金。

(5) 另一方面，每年从<u>专职从事文保研究的</u>专业人员中选派人员，赴欧美等科学技术先进的西方国家学习、进修。

◈ 多并列项句

(1) 埃及是世界四大文明古国之一，历经<u>法老时代、希腊罗马时代、基督教时代和伊斯兰教时代</u>。

(2) 通过国际社会的帮助，亚历山大图书馆现在征得了<u>大量珍贵图书、典籍、手稿、书画和影像制品。</u>

(3) 我们知道，<u>金字塔、狮身人面像、卢克索古城的帝王谷和神庙</u>都是代表埃及的符号。

第八课　中医文化

■课文

◈长定语句

(1) 用<u>中医原始和质朴的、讲究整体、注重变化为特色</u>的治未病和辨证施治理念来研究亚健康以及慢性复杂性疾病，是东西方两种认知力量的汇聚，是<u>现代医学向更高境界提升和发展</u>的一种必然性趋势。

(2) 科学家应逐步突破中西医学之间的壁垒，<u>建立融中西医学思想于一体</u>的21世纪的新医学。

(3) 面对<u>来自14个国家和地区</u>的100位中、西医专家，陈竺首先讲了孔子遇到过的一个难题：……

(4) <u>东方文化中占主流</u>的认知方法一直是经验和直觉，……

(5) 中医的复方理论，实际上就是<u>现在西方治疗学越来越强调的各种疗法</u>的综合使用。

(6) 如果不知道……就草率对它下结论，不是<u>一个严谨的科学家应该有</u>的态度。

(7) 医学研究应首先从人这个复杂的生物系统本身开始，在<u>捕捉和了解其整体特性和规律</u>的前提下着手进入微观领域。

(8) 先有整体，尽管开始时很模糊，但在<u>明确人体的系统运行功能和状态</u>的基础上逐步向局部直至最小单元进行科学的还原分析，……

(9) 沿着这个思维，传统中药大都采用<u>含有几十种甚至几百种化合物的多味药材组成</u>的方剂进行治疗，这样的复杂药物体系给现代药理评价带来了极大的挑战，也是<u>中医药被认为"说不清，道不明"</u>的一个主要原因；

(10) 如果将这许多组分的方剂视为<u>一个整体、一个单一组分</u>的治疗药物，……

(11) 另外一个值得深思的问题是，现代医学在<u>专业化还原</u>的策略下分工越来越细，致使<u>整个医疗系统和疾病治疗</u>的实施过程逐渐趋于"破碎化"。

(12) 同一种疾病的不同症型以及不同疾病之间在发生和发展过程中的共性特征在破碎化的诊疗体系下会被丢失，以致使我们失去不少<u>用简单方法进行治疗或早期干预</u>的机会。

(13) 中医首先看的是"人"——<u>缺乏明确物质基础而相对"模糊"的</u>整体，然后通过疾病相关临床表型特征再寻根溯源，逐层推断其病因病机。

(14) 这导致<u>长期以来中医理论无法用现代语言予以描述</u>，出现了<u>中医与西医无法互通互融的</u>格局。

(15) 将有望对<u>新世纪医学模式的转变以及医疗政策、医药工业甚至整个经济领域的</u>改革和创新带来深远的影响。

◈多并列项句

(1) 通过胃镜和生化检查可以更精确到什么<u>病变部位、程度以及致病源</u>。

(2) 而中医看的是<u>病人处于哪个症型，是饮食问题还是七情不调，是操劳过度还是季节变换所致，病人还伴有什么样的问题需要一并调理</u>，从而最终恢复他的整体平衡。

(3) 如果不知道<u>中医的内涵、优点、精华是什么，需要改进和改善的部分是什么</u>，就草率对它下结论，不是一个严谨的科学家应该有的态度。

(4) 中医的<u>整体观、辨证施治、治未病</u>等核心思想如能得到进一步诠释和光大，……

◈同位结构

(1) <u>卫生部长陈竺</u>提出了新观点：……

练习六短文（一）

◈长定语句

(1) 板蓝根成为<u>我国首个被美国最高研究机构认可的</u>中药。

(2) 作为<u>全球最大的卫生科研机构的</u>美国国立卫生研究院在马里兰州贝塞斯达邀请美、中、日、瑞典等国顶级流感病毒专家共商抗流感病毒良方。

(3) 在为期一年的时间内，<u>由美国国立卫生研究院提供的世界先进的病毒模型</u>对白云山板蓝根颗粒抗病毒作用进行筛查。

(4) <u>中药走向世界的一个重要</u>障碍就是欧美药物的准入标准，……

(5) 2008 年，<u>全球与中国开展中药贸易的</u>国家多达 163 个，……

(6) 北京军区总医院药剂科的谢博士言语间踌躇满志。

(7) 北京市隆福医院的解释：……

(8) 在西方主流市场，中国的中药尚未获得"名分"，只是以保健食品或另类疗法的身份出现，而并非真正意义上的药品。

(9) 据专家介绍，国外传统医药市场基本被产自日本、韩国的"洋中药"占据，……

❀多并列项句

(1) 目前世界草药消耗量用于滋补药膳和饮食作料的大约占47%，主要流行于日本、韩国、东南亚一带。

(2) 欧洲居其次，出口总额达2.09亿美元，德国、法国、西班牙、荷兰、英国、意大利、瑞士与我国中药贸易额都在千万美元以上。

❀同位结构

(1) 中华医学会会长钟南山院士的《中国抗病毒联合治疗概述》……

■ **练习六短文（二）**

❀长定语句

(1) 但中医对于一些疑难杂症和慢性病的良好治疗效果正在民间口口相传。

(2) 对于在非洲传播很广的一些传染性疾病，中医体现出了它的独特疗效。

(3) 上世纪应时任坦桑尼亚总统尼雷尔于80年代访华时提出的邀请，中医专家于1987年来到坦桑尼亚。

(4) 在治疗疟疾方面，中药制剂青蒿素在肯尼亚和布隆迪等很多疟疾流行的非洲地区得到了广泛应用。

(5) 突尼斯执政党机关报《自由者报》曾大篇幅报道中国医疗队针灸治病救人的事迹，赞扬他们为突中友谊作出的贡献。

❀多并列项句

(1) 尽管如此，中医在非洲的发展仍面临一些问题，如合格中医人数过少、中医诊所规模过小、一些人对中医仍比较陌生等。

(2) 不过，考虑到<u>中医成本低、副作用小和操作方便等优势</u>，<u>加上众多学习中医的非洲留学生为交流合作提供了良好基础</u>，中非中医药领域合作前景良好。

◈同位结构

(1) <u>中药制剂青蒿素</u>在肯尼亚和布隆迪等很多疟疾流行的非洲地区得到了广泛应用。

第九课　职场生态

■课文

◈长定语句

(1) <u>在天河城大厦一家会计师事务所上班的</u> Jacky 说，……

(2) <u>外资食品企业广州分公司的</u> JJ 说，……

(3) 但是<u>团队化工作模式盛行的</u>今日，讨论是<u>决策之前不能跨过的</u>程序，……

(4) 这就是<u>悲哀的无聊"橡皮人"的</u>心里感觉。

(5) 对<u>职场中不公平不如意的</u>事情心里很恼火，……

■练习六短文（一）

◈长定语句

(1) 到 2006 年年末，<u>持外国人就业证在中国工作的</u>外国人达 18 万人，……

(2) 18 万肤色各异的"洋打工"已成为<u>中国劳动力市场上</u>一道独特的风景线。

(3) 今年是<u>这个澳大利亚人来到中国的</u>第 16 个年头。

(4) 如今，他是<u>北京某英语培训机构的</u>一名教师。

(5) "洋打工"已是<u>中国大都市职场上</u>一支不容忽视的就业队伍。

(6) 他们的到来，体现出中国更加开放，也体现出<u>经济实力不断增长的</u>中国正散发出空前的魅力。

(7) <u>三年前从美国来华的</u>彭睿今年 30 岁，是美国英迈专业语言培训机构北京分公司总经理。

(8) 有关专家表示，中国中低端劳动力市场已经饱和，目前最需要的是<u>具有</u><u>国际化经营背景的高级管理人才</u>和研发人才。

(9) 因为他已是<u>拥有一家国际标准专业健身中心</u>的"洋创业"者。

(10) 如今，餐厅、酒吧、娱乐、健身等服务业，都是<u>外国人在华创业的重要</u><u>领域</u>。

(11) <u>很多跟陆麦特一样已在中国打拼多年</u>的"洋打工"，走上了在华创业的道路，……

◈多并列项句

(1) 目前在京就业的外国人主要来自<u>美国、韩国、日本、英国、德国、加拿</u><u>大</u>等国家。

(2) 在上海工作的外国人来自130多个国家，其中<u>日本占28.6%，美国占</u><u>12.3%，韩国占8.9%</u>；……

(3) 在广州工作的外国人来自108个国家，<u>日本、印度、韩国、美国居前四</u><u>位</u>，其中来自日本的占29%。

(4) 目前在上海就业的"洋打工"队伍中，位居<u>正副董事长、正副总经理、</u><u>财务总监、人事总监</u>等高级管理职务的约占25.4%，……

(5) 他们从事行业的前五位是：<u>租赁和商务服务业，制造业，信息传输，计</u><u>算机服务和软件业，住宿、餐饮、居民服务及其他服务业</u>。

(6) 这些"洋打工"多为学历较高者，其中<u>博士占2.6%，硕士占16.4%，大</u><u>学生占69.4%</u>。

(7) 另据调查，在广州工作的外国人也主要集中在<u>外资企业、台港澳企业和</u><u>外企常驻代表机构</u>。

(8) 对此，<u>原劳动部、公安部、外交部</u>于1996年联合发布的《外国人在中国就业管理规定》要求，外国人在华就业须持有《外国人就业许可证书》。

(9) 现在，<u>餐厅、酒吧、美容、娱乐、健身等服务业都是外国人在华创业的</u><u>重要领域</u>。

练习六短文（二）

◈长定语句

(1) 得知我即将成为<u>四川第一个拿到"绿卡"</u>的外国人后，我觉得是一种荣誉，这是对<u>我在成都生活、工作多年的</u>一种认可……

(2) 他的公司简单地说就是把一块<u>用过农药、化肥的</u>土地改造成一个<u>无农药、无化肥的</u>有机食品种植基地，这至少需要三年时间。

(3) 当时，<u>从事化妆品原料行业的</u>想真化妆品公司 (想真公司的前身) 运作得并不理想。

(4) 公司最初注册资本不到 50 万美元，不符合以<u>投资类申请"绿卡"的</u>标准。

(5) 对<u>第一批申请"绿卡"的</u>外国人，成都市公安局依法进行了严格的审核。

◈多并列项句

(1) 当其他人都从事<u>电子、信息、机械</u>等行业时，他还守着有机农产品这个行业不放……

(2) 四种类型的外国人可申请在中国永久居留：<u>有较高数额直接在华投资者，在华任职的高层次人才，对中国有突出贡献者及来华家庭团聚人员。</u>

◈同位结构

(1) 日前，第一次面对中国记者，<u>在成都生活了 10 多年的日本人海东博之</u>用不太流利的成都话说道。

(2) <u>在旁边的海东博之的妻子郝锦将</u>说。

(3) 1997 年，<u>成都女孩郝锦将</u>在四川想真企业有限公司遇到了 40 岁的海东博之。

第十课　网络时代

■课文

◈长定语句

(1) <u>这个由一个冒号、一个连接号再加半个括号组成的</u>符号已经成为最为流行的网络语言之一。

(2) 在网络日益普及的虚拟空间里，<u>人们表达思想、情感的</u>方式也应与现实生活中的表达习惯有所不同，于是有的人创造出<u>令人新奇也令人愤怒和</u>

不懂的"网语"。也指利用电子计算机在网络交际领域中使用的语言形式，狭义上指网民在聊天室和 BBS 上常用的词语和符号。

(3) 网络语言的产生，既有经济发展、社会进步、文化繁荣带来的新观念的社会背景，也有源于网民们追求标新立异以及网络交流所需要的迅速、简单传播的特征。

(4) "网言网语"轻松幽默的风格，更是迎合了紧张忙碌的现代人放松身心的需要。

(5) 一个学生在题目为《我的理想》的作文开头中这样写道：……

(6) 据说现在收录汉字最多的字典是《中华字海》，里面有 85000 个汉字。

❖ 多并列项句

(1) 今年夏天，网络上又流行起了"雷""霹雳""囧""槑"等词语。

(2) 在有些人看来，"网民的智慧是没有止尽的，这种表达方式很创新、很时尚、很'火星'"。

(3) 近些年来，"网语"更是跳出了网络，频频在电视、广播、报纸杂志等媒体亮相，……

(4) MM、菜鸟、恐龙、粉丝、BT……这些俏皮的"网语"一下子得到了很多年轻人的认同。

(5) 但不可忽视的是，网络语言在拥有诸多优点的同时，也存在着语意模糊、不合规范、过度求新、沟通困难甚至粗俗低下等问题。

(6) 目前汉语言文字使用中存在网络语言肆意泛滥、汉字书写求奇求怪、繁简混用等种种怪现象。

(7) 汉语在自身的发展中，很早就有吸收外民族词语的传统，如魏晋南北朝时期佛教的传入、戊戌变法时期的西学东渐、五四新文化运动，都曾出现过吸收外来词语的高潮。

(8) 前几年出现的"理念""互动""透明度""脱口秀"等词语，已被一些汉语词典所收录。

(9) 所以如今的一些网络新词语，如"网虫""黑客""伊妹儿""灌水"等，也会逐渐为人们所熟悉和接受。

❖同位结构

(1) 1982 年 9 月 19 日 11 时 44 分，<u>美国卡内基·梅隆大学教授斯科特·法尔曼</u>在一个互联网电子公告板上第一次使用了微笑符号"：-)"。

(2) <u>上海市第四中学初三学生君君</u>说，……

(3) <u>央视"百家讲坛"主讲人之一、武汉大学教授李敬一</u>也不满现在网络上出现的不规范用语及"火星文"。

(4) <u>作为"新新人类"的代表，"80 后"作家沈嘉柯</u>不认同李敬一的看法，……

(5) <u>商务印书馆汉语编辑室主任周洪波</u>的看法是，……

练习六短文（一）

❖长定语句

(1) 专指那<u>些热衷于动画、漫画和电子游戏以至足不出户</u>的人。他们曾被认为是<u>因为无法适应社会生活、躲避在动漫和电玩世界寻找安慰的自闭一族</u>，……

(2) 很多网民力顶她"宅在家里仍积极"的生活态度，同时也引起了<u>现代社会究竟需要何种类型"宅男宅女"</u>的讨论。

(3) 有些"宅男宅女"认为，处理与人的关系是伤脑筋的、较少回报的，而处理<u>网页、电脑、屏幕、键盘之类的非人格对象</u>，则是可胜任的、高报酬的。

❖多并列项句

(1) 网络上，有人把"宅"分为三种类型，即<u>精英气质的"御宅族"、藏家气质的"御宅族"、自闭气质的"御宅族"</u>。

(2) 第二，有着对信息社会的良好适应力，能<u>跨专业、跨领域、跨语言</u>将自己所需要的信息资料一份也不少地加以<u>整理、解读与研究</u>；……

(3) 现代"宅男宅女"，大多有着自己喜欢的职业，比如，<u>自由撰稿人、自由译者、程序员、网站编辑、摄影师</u>，等等。

❖同位结构

(1) 北京大学社会学系副教授刘能认为,……

练习六短文 (二)

❖长定语句

(1) 由于广西网瘾少年在网戒机构被打死恶性事件的发生,网瘾问题再次被媒体热炒。

(2) 有专家认为网瘾是广义的精神疾病 (精神障碍),需根据不同个体,采取生物学与心理治疗为主导的综合干预模式进行治疗。

(3) 在媒体个案报道和戒除机构的自我宣传下,网瘾现象的严重性被片面地渲染,……

(4) 所谓瘾者,本性的外显而已,是外因调动内因的过程,……

❖多并列项句

(1) 从 2004 年开始,很多 "青少年成长基地" "训练营" "特色学校" 纷纷转行治疗网瘾。

(2) 他列出这类方法的三大罪状:摧残孩子,欺骗社会,牟取暴利。

❖同位结构

(1) 中国人民大学社会学教授周孝正说,……

(2) 网戒专家陶宏开坚决反对所谓的暴力治疗网瘾方式,……

(3) 中国政法大学青少年犯罪与少年司法研究中心主任皮艺军说,……

(4) 内蒙古社会科学院副研究员阿尔泰认为,……

第十一课 健身时代

课文

❖长定语句

(1) 太阳宫体育休闲公园是北京市绿化隔离地区 "公园环" 建设中唯一位于

四环路以内的公园。

(2) 清晨，满面红光、脑门已微微见汗的张大爷一边压腿一边说，……

(3) 这座集植物繁育、生态修复、休闲娱乐为一体的公园像绿丝带一样守护在永定河东岸，……

(4) 毗邻老山奥运场馆群的老山城市休闲公园是北京市唯一的山地运动公园。

(5) 依据自西北向东南不均匀变坡的山地特点，从山脚下到山顶，形成了从城市绿地到山间绿廊的过渡。

(6) 除了上面介绍的四个郊野公园外，还有可以采摘樱桃、梨、桃、杏、枣、李子、苹果等新鲜水果的东坝郊野公园，将戏曲文化融于自然园林之中的京城梨园，拥有杜仲林和植物百科文化墙的杜仲公园，拥有明代十方储佛宝塔的古塔公园……

(7) 以笔者最先到访的东风公园为例，……

◈ 多并列项句

(1) 公园分为中心景区、森林氧吧区、运动场区、健身休闲区和管理服务区五大景区，……

(2) 在这里，宋庆龄故居古槐、金水桥畔古槐等十多处名槐风采都以浮雕的形式展示出来。

(3) 1000 多亩的公园里，分布着国槐、蝴蝶槐、龙爪槐、刺槐、红花刺槐、金枝国槐、金叶槐、香花槐、江南槐等十多个品种，近 7000 株槐树。

(4) 除了上面介绍的四个郊野公园外，还有可以采摘樱桃、梨、桃、杏、枣、李子、苹果等新鲜水果的东坝郊野公园，将戏曲文化融于自然园林之中的京城梨园，拥有千亩杜仲林和植物百科文化墙的杜仲公园，拥有明代十方储佛宝塔的古塔公园……

(5) 郊野公园与皇家园林、城市公园、环路景观绿化带等交相呼应，……

(6) 一些占地比较大的公园更是建起了普通公园所不具备的篮球场、足球场、网球场，等等。

▌练习六短文（一）

◈ 长定语句

(1) 美国曾就有氧代谢运动调节紧张的作用做了大量的妇女调查与研究工作。

(2) 这样，即使你处于紧张中，<u>心率的减慢所带来的</u>一系列反应也会使你沉着冷静，能很好地控制自己的情绪。

(3) <u>跑步能增加工作兴趣的</u>作用远远不仅仅是内啡肽的功效，……

❖多并列项句

(1) 每个人都有自己消除紧张的方法，譬如<u>睡觉、看电视、逛商店、听音乐</u>，等等，……

(2) 因为它不仅仅对你的<u>呼吸系统、血液循环系统、骨骼肌肉、消化系统、内分泌系统以及神经调节系统</u>有好处，同时也锻炼了你的意志和耐力。

❖同位结构

(1) <u>中国有氧运动发起人之一、著名心血管专家胡大一</u>说，……

第十二课　　"驴"行天下

■课文

❖长定语句

(1) <u>三名"驴友"在浙江遇难的</u>消息一经公布就震动了整个上海"驴友"圈，<u>原本定于8月21日组织会员前往炉西峡"驴行"的</u>上海户外公社，不得不因此取消了行程。

(2) 如今，<u>全国每年参加山地户外运动的</u>人数在2000万至3000万，排在各大类体育项目的第二位。

(3) 而<u>一些参与户外探险的新</u>"驴友"不具备足够的体力和技巧，只是怀着一腔热情就盲目加入户外探险，成为频发险情的一大隐患。

(4) 有人建议对俱乐部实行<u>类似于旅行社性质的</u>管理。

(5) 但是，俱乐部一旦变成旅行社，就面临<u>交纳100万元保证金的</u>高门槛，……

(6) 为了避免发生意外事故而承担责任，活动组织方都要求参与者签下<u>类似"旅途所有风险自负其责"的</u>"生死状"。

❖多并列项句

(1) 登山坠落、迷路失踪、山洪溺亡……近年来，随着中国户外运动的兴起……

(2) 当地政府领导立即带领公安、武警、消防、水利、旅游、海事等部门人员组成了 8 个搜救小组赶赴事发现场，并组织当地群众分别从炉西峡峡口、郑坑和梅岐三个源头向峡谷内开展搜救行动。

(3) 溯溪是需要严格的专业配备的，需要保护绳固定在悬崖之上，下水时需要呼吸器、头盔、护膝护肘等，只有这样才能防范风险。

❖同位结构

(1) 沪上一家知名户外俱乐部的负责人曹先生告诉记者，……

(2) 上海师范大学旅游学院副教授王玉松指出。

(3) 对此，上海旅游局法规处处长朱国建表示，……

(4) 对此，上海市旅游局法律专家刘巍嵩说：……

(5) 近日，上海市旅游局局长道书明表示：……

▌练习六短文（一）

❖长定语句

(1) 今年 1 月 12 日，詹妮弗从西非海岸附近的佛得角出发，开始了她游泳横渡大西洋的挑战之旅！她终于决定实现自己游过大西洋的惊人之梦。

(2) （她）成了人类有史以来第一个游泳横渡大西洋的女性。

(3) 为了防止詹妮弗在海水中可能会遭到鲨鱼的袭击，支援小组本来打算让她在一个专门设计的防鲨笼中游泳，……

(4) 它能发出让鲨鱼感到不舒服的电子信号，从而达到驱赶鲨鱼的目的。

❖多并列项句

(1) 不过，当詹妮弗充满疲惫同时也充满兴奋地爬上这座加勒比海岛国的海滩时，她已经创下了一项世界纪录，……

练习六短文（二）

❖长定语句

(1) 只有<u>一些在白天注意救生艇悬挂位置的沉着冷静的</u>乘客，才顺利地穿好救生服，登上救生艇。

(2) 离开<u>原先轮船发出求救信号的</u>海域，……

(3) 在跳海前，带上一只<u>用透明塑料袋密封着的</u>手电筒，……

(4) 这就是一条<u>容易被忽略的却又至关重要的</u>救命诀窍。

(5) 现代救生艇一般用<u>轻质木材、充气橡皮、中空铝合金和塑料</u>等高浮力材料制成。

(6) 这里，要特别提醒那些<u>"水性"不太好的系上绳的</u>逃生者。

(7) 如各种<u>装水果、饮料、杂物的</u>大纸板箱，就有人们意想不到的浮力。

(8) 海难是<u>全球发生率相当高的</u>一种灾难，又是最折磨人的灾难之一。

(9) 因此，新近国际航海救生联合会向全球推荐这三条<u>简单易行、富有成效的</u>诀窍。

❖多并列项句

(1) 其方法是先把袋子吹鼓胀，用<u>细绳、缝衣线或橡皮筋</u>将袋口扎住，再用绳子把它们一个个连结起来，……

(2) 至于用<u>塑料薄壳瓶，如果汁瓶、可乐瓶、牛奶瓶</u>等制作救生圈，方法就更简单了。

(3) 受难者常常要在茫茫无边的大海上，被<u>暴风骤雨、寒冷炎热、饥饿干渴、担惊受怕</u>等折腾得死去活来，苦不堪言，最后才慢慢死去。

❖同位结构

(1) 然而，<u>一名仅仅身穿救生衣的老妇人伊莎贝尔</u>却获救了。

(2) <u>举世闻名的英国海难协会专家布雷克·享利</u>闻讯后，……

附录 3

报刊常用文言词

新闻语言中吸收了不少古汉语中的词语。这些词语增加了报刊的书面语色彩，也成为留学生学习汉语报刊的难点。以下我们把本教材中出现较多也比较重要的古汉语词列出来，供学习时参考。

一、指称类

1. **此**　在古汉语中表示"这个"的意思。

● 用法一：出现在结构的前面部分。有的因为经常与后面部分搭配在一起，已经成为一个固定的词语，如"此外"等。如：

(1) **此外**，据《京都议定书》规定，发达国家有义务向中国等发展中国家提供技术和资金援助。（第一课练习六：二）

(2) **此后**，透明鱼神秘的面纱才渐渐被人们掀开，……

（第二课练习六：一）

(3) 60%的顾客认为**此举**"极有价值"，……（第三课练习六：二）

(4) 2007 年 7 月至今年 2 月间，**此**活动已累计丢失自行车 7800辆，……（第三课练习六：二）

(5) 虽然**此前**已有人到过"塑料漩涡"，但**此次**探险的重心在科研。

（第三课练习七：一）

(6) **此行**将研究海面污染物和废弃塑料对有机体的影响，这在人类历史上尚属首次。（第三课练习七：一）

(7) **此时**，一块并不起眼的秦兵马俑地砖的图案吸引了他们，……

（第五课课文）

(8) **因此**负责调查**此案**的当地检察院认定，孩子的奶奶对孩子进行了虐待。（第八课练习七：二）

(9) "宅男宅女"又被称为"御宅族"。**此**称谓始于上世纪 80 年代，起源于日本，字面意思是"你的家"，……（第十课练习六：一）

(10) 户外运动俱乐部组织此类活动是否合法？（第十二课课文）

● 用法二：出现在结构的后面部分。有的因为经常在一起出现，也已经成为一个固定的词语，如"对此""为此""如此""与此同时"等。如：

(1) 古萨尼在这个活动的资格选拔中没有获得通过，但他坚持要参加，为此"游说"了组织者好几个月的时间，最终获得了额外的批准。（第一课练习七：二）

(2) 5月3日，韩国总统李明博在出席"韩国第一届自行车节"活动时，亲历亲为地与民众一同蹬起了自行车，借此提倡国民骑车出行以实现"低碳绿色增长"。（第三课练习六：二）

(3) 希望以此应对气候变化并减少欧洲对不可再生能源如石油、天然气的进口。（第四课练习六：一）

(4) ……100人会聚一堂，就此展开研讨。（第五课课文）

(5) 为此他们特意要求兵马俑特展时将这块地砖带上，……

（第五课课文）

(6) 他们有的是想看看首钢这个"花园式工厂"，有的是来追忆当年在此艰苦奋斗的历程，……（第五课练习六：二）

(7) 起源于宁夏，传入京城后深得皇帝的青睐，成为皇宫御用品，宫毯由此得名。（第六课练习六：一）

(8) 近年来人们对此认识逐渐深刻，保护20世纪文化遗产已经成为世界共识。（第七课课文）

(9) 如此发展下去，便会走到职业生涯的边缘，说不准下一刻就会被扫地出门！（第九课课文）

(10) 与此同时，一个暴利市场正逐渐形成。（第十课练习六：二）

(11) 从此，即便有大量的工作要做，我也不再为此而感到困惑了，……（第十一课练习六：一）

2. 其　在古汉语中"其"表示"他／她／它"或"他／她／它的"的意思。

● 用法一：是独立的一个词，不属于其他词的一部分，表示"他／她／

它"。如：

(1) 由于人类从未接触过这些病毒，对其缺乏免疫力，因此这些病毒具有极大威胁性。（第一课课文）

(2) 生物质能是人类利用最早、最多、最直接的能源，是世界第四大能源，仅次于煤炭、石油和天然气，但目前其作为能源的利用量还不到总量的1%。（第四课课文）

(3) 如果欧盟实现了其确定的可再生能源目标，欧盟将实现经济增长并创造出41万个就业岗位。（第四课练习六：一）

(4) 这份报告显示，全球经济低迷使得今年全球的发电量出现65年以来的首次负增长，这也抑制了新能源领域的投资。据其预计，今年可再生能源领域的融资额度将比上年下降38%。

(第四课练习六：一)

(5) 扩大博物馆文化产品在文化市场的占有份额，将其生产创新的文化产品及服务为更多的人享用。（第五课课文）

(6) 如果我们身处宝山而不自知，不把其中最珍贵的部分保护下来，其承载的20世纪中国社会发展的历史信息将会受到损失。

(第七课课文)

(7) "保护"并不意味着将其"束之高阁"，而是"合理利用"，专家为此积极建言。（第七课课文）

(8) 在西班牙司法机关看来，这些"特殊的动作"，是孩子的家长对其呕吐所进行的体罚，……（第八课练习七：二）

(9) 孩子的奶奶虽然没有身份证，但并非她不符合办理的条件，因此西班牙司法机关没有权力将其驱逐。（第八课练习七：二）

● 用法二：表示"他的 / 她的 / 它的"，做定语。如：

(1) "限塑令"虽然允许超市有偿提供较厚的塑料购物袋，但其本意并不是要用厚塑料袋"代替"薄塑料袋，……（第三课课文）

(2) 超市使用的塑料购物袋根据规格不同分为大、中、小三种，其价格也从0.1元到1元不等。（第三课课文）

(3) 可再生能源有着政府长期的资金支持，但是其未来的增长则有赖于广泛的经济增长。 （第四课练习六：一）

(4) 如果各国将所有房子的屋顶都刷成白色，将人行道变成水泥色而非深色调，其效果将相当于减少全世界道路上所有车辆11年排放的二氧化碳总量。 （第四课练习七：二）

(5) 究其原因，主要是旧的管理体制和思想观念的滞后，成了博物馆文化产业发展的障碍。 （第五课课文）

(6) 目前，掌握着这门绝活的只有74岁的康玉生大师和其传人王国英。 （第六课练习六：一）

(7) 20世纪文化遗产有其独有的特点；…… （第七课课文）

(8) 先研究其在人体内的整体生物效应，明确疗效后再去看局部，或许就简单得多并且更有方向了。 （第八课课文）

(9) 中医首先看的是"人"——缺乏明确物质基础而相对"模糊"的整体，然后通过疾病相关临床表型特征再寻根溯源，逐层推断其病因病机。 （第八课课文）

(10) （板蓝根）在中国有2000多年的应用历史，临床效果良好，而体外抗病毒筛选也基本证实了其确切疗效。

（第八课练习六：一）

(11) 即使是电视网中收视率上升的节目，其收入也在下降，而地方台正以前所未有的速度失去市场。 （第十课练习七：一）

(12) "驴友"探险频频遇险，其监管"真空"问题亟需引起立法部门的重视。 （第十二课课文）

此外，还有几个常用的包含"其"的词语。如：
(1) 洞穴鱼类的食物往往是极其匮乏的。 （第二课练习六：一）
(2) 其实"限塑令"刚开始实施时，侯小姐也不习惯，……

（第三课课文）

(3) 北京塑料废弃物总重量较"限塑令"实施前同期下降10%以上，其中主要是塑料购物袋，每天可减少200多吨。 （第三课课文）

3. **之**　古汉语中表示"这"或"他／她／它"的意思。

● 用法一：表示"这"或"他／她／它"。由于与前面的词语经常一起出现，有的已经成为固定词语，如"反之""简言之"等。如：

(1) 由动物作为传染源的疾病称之为动物源性传染病。

(第一课练习六：一)

(2) "限塑令"实施初期，由于塑料袋生产企业对"限塑"政策普遍存有观望心态，加之当时树脂原料价格持续走高与"绿色奥运"到来的影响，全国 6 万余家塑料袋生产企业中近 2/3 处于停产状态，使"限塑令"一度取得了喜人的效果。(第三课课文)

(3) 低碳，简言之，就是减少二氧化碳排放，是一种低能量、低消耗、低开支的生活方式。(第三课练习六：一)

(4) 煤炭和石油还能开掘多少年？与之相伴的大气污染、气候变暖等种种问题如何解决？(第四课课文)

(5) 只要有欢快的音乐响起，就会有人不由自主地随之舞蹈、欢歌，连外来的游客也不例外。(第六课练习七：一)

(6) 也就是说，应该采用从整体到局部的研究策略，先有整体，……最终使之自上而下地逐层清晰化。(第八课课文)

(7) 律师提出，针灸和刮痧的手法，在中国古已有之，民间经常采用。(第八课练习七：二)

(8) 将自身与艇系在一起，落水后很容易再爬上艇。反之，则很有可能被海浪冲走或当场溺水身亡。(第十二课练习六：二)

● 用法二："的"的意思，用在定语和中心词之间，组成偏正词组，其实有时候只起平衡音节的作用。如：

(1) 滇金丝猴如今仅天然分布在云南省迪庆藏族自治州的维西、德钦等县和西藏自治区的芒康县等地的高山森林之中，……

(第二课练习七：一)

(2) 近九成的农贸批发市场内塑料袋使用再呈泛滥之势。

(第三课课文)

(3) 随着金融危机的持续蔓延，现在不仅观念超前的大学生支持并乐意过"低碳"生活，学校之外更多市民和组织也正加入"低碳"生活的行列。（第三课练习六：一）

(4) 太阳是人类能源之母。（第四课课文）

(5) 按照这一思路建立的充电站网络，与现有的无线通信网络存在很多类似之处。（第四课练习六：二）

(6) 在文物得到有效合理的保护之后，如何挖掘其中的文化内涵、发展文化产业，成为当前许多博物馆发展面临的主要问题。
（第五课课文）

(7) 除了欣赏自然风光，公众还应到博物馆中进行"文化之旅"。
（第五课练习六：一）

(8) 在修建之初就希望将博物馆建成一个舒适的博物馆，让它成为雅典一个不可或缺的休闲去处。（第五课练习七：一）

(9) 目前他领导的考古学家们还在加紧工作，整理博物馆地基上的雅典城遗址，计划用一年左右的时间，向游客开放卫城博物馆地下遗址，使之成为馆中之馆。（第五课练习七：一）

(10) 产量低、质量差、成本高的先天不足使得泽雅这个造纸之乡逐渐放弃高端书画用纸生产，……（第六课课文）

(11) 夹缬之名始见于唐代。（第六课课文）

(12) 夹缬虽在辽宋时期依然兴盛，但在元明之际，由于棉纺织的普及和织技的精进，夹缬开始衰落，到明清已经越来越少见了，到近代基本绝迹。（第六课课文）

(13) 研究人员之前从文物分析出发，以为夹缬是用筛网做版的；……
（第六课课文）

(14) 在它们日渐式微的今天，民间或宫廷绝艺之"绝"字，有了另一重要含义：艰难支撑，后继乏人。（第六课练习六：一）

(15) 掼跤在清代还是一项练武科目，有军事实战意义，民间有少年康熙与掼跤手擒鳌拜之说。（第六课练习六：一）

(16) 北京的手工织毯也称"宫毯"，为"燕京八绝"之一。

（第六课练习六：一）

(17) 一些有识之士开始考虑将丝绸之路整体或部分地申报世界遗产。

（第七课练习七：一）

(18) 丝绸之路是人类历史上最长的一条文化线路，路途之远、途经国家之多都是罕见的。　　　　　　（第七课练习七：一）

(19) 比如中医强调的是"阴阳平衡"，与现代系统生物学有异曲同工之妙；……（第八课课文）

(20) 除华人外，不少其他美国人也热衷于中医药，包括针灸、按摩之类。（第八课练习六：一）

(21) 陆麦特是1997年来到中国的新西兰人，没有就业之愁，……

（第九课练习六：一）

(22) 不过，自诞生之日起，网络语言就饱受争议和质疑。

（第十课课文）

(23) 她终于决定实现自己通过游泳横渡大西洋的惊人之梦。

（第十二课练习六：一）

4. 该　表示"这个"的意思。

●用法："该"用于介绍某人或某事物。如：

(1) 透明金线鲃生活阿庐古洞地下暗河中，该鱼是何时进入暗河已经难以考证，……（第二课练习六：一）

(2) 对该通知社会上俗称"限塑令"。（第三课课文）

(3) 法国政府于两年前推出"单车自由骑"自行车租赁服务，该服务在缓解交通压力和减少污染的同时，也遭受了重大的损失。

（第三课练习六：二）

(4) 该专项被命名为"指南针计划"。（第六课课文）

(5) 自2007年12月批准立项后，经过课题组成员一年的努力工作，该项目已按计划要求顺利完成。（第六课课文）

(6) 我欣喜若狂，直奔该公司。（第九课练习七：一）

5. 何 在古汉语中表示"什么"的意思。
- 用法：有些带"何"的词语已成为固定词语。如"为何""如何"等。如：
(1) 这与准备应对战争般威胁有何不同？（第一课练习七：一）
(2) 透明金线鲃生活阿庐古洞地下暗河中，该鱼是何时进入暗河的已经难于考证，……（第二课练习六：一）
(3) 陕西是文物大省，但是相关产业发展较为缓慢，原因何在？

（第五课课文）

(4) 博物馆该如何进行文化旅游开发呢？（第五课练习六：一）
(5) 他们的生活状况究竟如何呢？（第十课练习六：一）
(6) 为何众多白领热衷于慢下心来修习古艺？

（第十一课练习七：二）

二、引介类

1. 于 在古汉语中常表示"在"的意思。
- 用法一：表示"在"。如：
(1) 麻疹、流脑、猩红热流行于冬春季，霍乱、痢疾等消化道疾病多发于夏季。（第一课课文）
(2) 原产于北大西洋沿岸及墨西哥湾的美国红鱼作为海洋脊椎动物的代表，于1991年引入我国海水养殖业，后得到迅速推广。

（第二课课文）

(3) 盲鱼是生活于洞穴或地下水环境中并表现出一系列适应性特征的鱼类，……（第二课练习六：一）
(4) 位于非洲赞比亚和津巴布韦交界的赞比西河谷，一项由环保组织 WCS 和 EPDT 发起的以种植红辣椒来防止非洲象破坏农作物的项目正在开展。（第二课练习六：二）
(5) 台湾中华文物学会副会长张克晋多年来行走于世界各地和两岸

文物艺术界，对大陆博物馆情况相当了解。（第五课课文）

(6) 我国的一些工业遗产地处于城市的中心或近郊，在快速的城市化进程中日渐成为城市的"黄金地段"。（第五课练习六：二）

(7) 连说带摔，舒展、真实，还要能逗乐，曾活跃于民国晚期和新中国初期。（第六课练习六：一）

(8) 智化寺始建于1444年，初为明英宗时期的大太监王振所建的敕造寺院，……（第六课练习六：一）

(9) 作为集歌、舞、乐于一体的艺术，木卡姆流传于南疆绿洲的各个维吾尔族聚居区，……（第六课练习七：一）

(10) 藏于云南大学图书馆的宋刻《春秋经传集解》、辽宁省馆的宋淳熙年间浙刻《扬子法言》，也颇引人注目。（第六课练习七：二）

(11) 特拉维夫创建于1909年，……（第七课课文）

(12) 原定于2010年表决的丝绸之路申遗工作将推迟到2012年。
（第七课练习七：一）

(13) 科学家应逐步突破中西医学之间的壁垒，建立融中西医学思想于一体的21世纪的新医学。（第八课课文）

(14) 他先是就读于北京语言学院（现北京语言大学），随后在广东中山医学院（现中山大学医学院）攻读医学本科。
（第八课练习六：二）

(15) 上世纪应时任坦桑尼亚总统尼雷尔于80年代访华时提出的邀请，中医专家于1987年来到坦桑尼亚。（第八课练习六：二）

(16) 多年的打拼会带来不错的成绩，可是因此也可能让人固步自封，沉溺于往日的成绩当中。（第九课课文）

(17) 他在北京语言学院毕业后，往来于中国与澳大利亚之间，在中国学习汉语，回国研究中国历史；……（第九课练习六：一）

(18) 如今网络语言泛滥，从不规范的遣词造句到不知所云的"Q言Q语"和"火星文"充斥于网上，……（第十课课文）

(19) 日报《西雅图邮报》创刊于 1863 年，……

（第十课练习七：一）

(20) 记者看到的最近开写的一个中文博客博主名为"王渊源"，来自美国北卡州，现居住于北京。（第十课练习七：二）

(21) 在这个槐花飘香的季节，置身于槐树的海洋之中，体味着槐文化，既增长见识，又修养心性。（第十一课课文）

(22) 郊野公园发端于上世纪 70 年代的英国英格兰和威尔士地区，……

（第十一课课文）

(23) 和田小姐同班学习古筝的朱彤就职于一家金融机构。

（第十一课练习七：二）

● 用法二：后面为某个比较抽象的方面。由于与前面的词语经常一起出现，有的已经成为固定词语，如"属于""在于""鉴于""有助于""有利于"等。如：

(1) 物流速度加快则易于病畜、带菌（毒）肉类的扩散。

（第一课练习六：一）

(2) 像我这样的普通人，怎样生活才有助于阻止全球变暖并推广这些办法？（第一课练习六：二）

(3) 鉴于资金有限，这些岛国正在探索能以较低成本提高庄稼和沿海地区抗飓风能力的手段，……（第一课练习七：一）

(4) 这些种隶属于原核生物界、原生生物界、植物界和动物界 4 个界 12 个门。（第二课课文）

(5) 有些外来物种利弊还有待于进一步评估。（第二课课文）

(6) 中国不再把天然湿地当做可大规模用于种植、水产、畜牧等农业生产活动的尚未开发的后备资源。（第二课练习七：二）

(7) 一些单位也更乐于开短会，不仅节省照明、空调用电量，同时也提高了工作效率。（第三课练习六：一）

(8) 由于城市面积大，人们还是更倾向于选择乘坐汽车出行，……

（第三课练习六：二）

(9) 航行组织者说，塑料垃圾分解得越来越小，以至于无法显示在卫星图片上。（第三课练习七：一）

(10) 狭义的太阳能则限于太阳辐射能的光热、光电和光化学的直接转换。（第四课课文）

(11) 潮汐发电是利用海湾、河口等有利地形，建筑水堤，形成水库，以便于大量蓄积海水，……（第四课课文）

(12) 英国寄希望于在北海附近建设风力发电厂来实现计划目标，……
（第四课练习六：一）

(13) 可再生能源有着政府长期的资金支持，但是其未来的增长则有赖于广泛的经济增长。（第四课练习六：一）

(14) 出于这些考虑，"美好空间"公司提出了颇具创新性的新能源汽车充电基础设施建设思路。（第四课练习六：二）

(15) 对于那些具有历史学、社会学、建筑学和科技、审美价值的废弃厂房，切莫急于将高炉烟囱简单地推倒铲平，……
（第五课练习六：二）

(16) 适于做旅游开发的便将其改造再利用。（第五课练习六：二）

(17) 这样一来，那些曾经的骄傲便能重新幻化成富于生命的音符！
（第五课练习六：二）

(18) 这部作品更大的意义在于，他们为海淀区乃至北京市的非物质文化遗产的保护工作提供了全新的参考。（第六课练习六：二）

(19) 相对于古代文化遗产保护，20世纪文化遗产的保护和研究刚刚起步，有很多问题有待于人们认识和解决。（第七课课文）

(20) 一个沉迷于和自己的过去玩游戏的民族，注定要被淹没在人类的历史进程中。（第七课练习六：一）

(21) 美国的文化遗产保护吸取了英国的过度沉醉于历史和过度"贵族化"的教训，……（第七课练习六：一）

(22) 其次，要还文化遗产于大众，因为人人都是文化遗产的参与者。
（第七课练习六：一）

(23) 世界遗产不仅属于个别国家，而且属于全人类。

（第七课练习六：二）

(24) 现代医学在专业化还原的策略下分工越来越细，致使整个医疗系统和疾病治疗的实施过程逐渐趋于"破碎化"。

（第八课课文）

(25) 除华人外，不少其他美国人也热衷于中医药，包括针灸、按摩之类。（第八课练习六：一）

(26) 学成回国后，卡马拉开始致力于针灸治疗。

（第八课练习六：二）

(27) 对紧张的乐观反应，实际上有利于身心健康。

（第十一课练习六：一）

(28) "驴友"探险日趋流行，说明市场需求的客观存在，但从现有的法律来看，"驴友"探险活动没有监管主体，旅游部门想对其进行监管也于法无据。（第十二课课文）

(29) 这次搜救行动成功，一方面归功于搜救人员和志愿者，另一方面也归功于格雷森这个坚强的小男孩，……

（第十二课练习七：一）

● 用法三：用于比较。由于与前面的词语经常一起出现，有的已经成为固定词语，如"大于""小于""等于"等。如：

(1) 近50年来，我国海平面上升趋势是1~2.5毫米/年，高于世界平均值。（第一课练习六：二）

(2) 红树林在一些岛上相当于抵御海水侵蚀的防护堤。

（第一课练习七：一）

(3) 明确规定在全国范围内禁止生产、销售、使用厚度小于0.025毫米的塑料购物袋。（第三课课文）

(4) 而对于人口密集的荷兰，自行车的意义则远大于代步工具和运动方式，它早已成为人们生活的一部分。（第三课练习六：二）

(5)　生物质能是人类利用最早、最多、最直接的能源，是世界第四大能源，仅次于煤炭、石油和天然气，……（第四课课文）

(6)　整个过程不到两分钟就可完成，消费者甚至不必下车，方便程度优于现有的加油站。（第四课练习六：二）

(7)　此举看似普通，但其吸收的热量大大少于通常的深色屋顶；……
（第四课练习七：二）

(8)　中医强调"辨证施治"，类似于西方医学通过药物遗传学为每一个病人找到最适合的药，……（第八课课文）

(9)　尽管申请、注册并不简单，但"机会大大多于麻烦"。
（第九课练习六：一）

(10)　一部分年轻人表现出了不同于其他同龄人的生活方式，……
（第十课练习六：一）

(11)　只要制作得法，效果不会亚于正规的救生圈或救生衣。
（第十二课练习六：二）

2. 以 "以"表示"用"的意思。

● 用法一："以"+工具／手段／标准／形式等。如：

(1)　鉴于资金有限，这些岛国正在探索能以较低成本提高庄稼和沿海地区抗飓风能力的手段，……（第一课练习七：一）

(2)　如果以每年亩产值 5000 元计算，大米草每年给闽东养殖业带来的损失高达 7~8 亿元。（第二课课文）

(3)　一项由环保组织 WCS 和 EPDT 发起的以种植红辣椒来防止非洲象破坏农作物的项目正在开展。（第二课练习六：二）

(4)　这正是政府鼓励市民以自行车代替汽车出行的举措之一。
（第三课练习六：二）

(5)　欧盟于去年制定了可再生能源发展目标，计划到 2020 年将可再生能源发电量占总发电量的比例提升到 20%，希望以此应对气候变化并减少欧洲对不可再生能源如石油、天然气的进口。
（第四课练习六：一）

(6) 这种模式将使消费者节省购买电池的费用，并能以更低价格将电动汽车提供给消费者，……（第四课练习六：二）

(7) 在这里，观众不仅能以愉悦的心情学习知识，还能得到身心的放松和文化的享受。（第五课课文）

(8) 清道光年间，智化寺音乐从寺院逐渐传播到北京周边地区，成为了北方佛曲的代表，被时人冠以"京音乐"。

（第六课练习六：一）

(9) 当时世界遗产委员会以"作为一座竣工时间不足10年，建筑设计者尚且健在的建筑作品，悉尼歌剧院还无法证明其自身具有杰出价值"的理由予以否决。（第七课课文）

(10) 历史是一面明镜，我们照镜子，则是要以更自信的形象去迎接未来。（第七课练习六：一）

(11) ……五个国家积极准备以文化线路的形式联合申报世界文化遗产。（第七课练习七：一）

(12) 文化遗产如果出现风化、褪色等病害，既不能头痛医头，脚痛医脚，也不能病急乱投医，而需要搞科研，以相应的技术去治理。（第七课练习七：二）

(13) 在西方主流市场，中国的中药尚未获得"名分"，只是以保健食品或另类疗法的身份出现，而并非真正意义上的药品。

（第八课练习六：一）

(14) 虽然"网语"貌似艰涩，实际上不过是以通假、谐音等方式将原有的语言重新表述，依然遵循汉语语法规则，不会从根本上破坏汉语的纯洁性。（第十课课文）

(15) 每一次再版，必须有所改变，决不能以不变应万变。

（第十课课文）

(16) 全国性电视网和地方电视台也遭遇了麻烦。即使是电视网中收视率上升的节目，其收入也在下降，而地方台正以前所未有的速度失去市场。（第十课练习七：一）

(17) 现在的户外运动俱乐部有50%是注册在工商部门的户外产品
专卖店，有10%的俱乐部在民政部门以社团性质注册，……
(第十二课课文)

● 用法二：行为 +"以"+ 目的。如：

(1) 饲料中添加抗生素，促使耐药菌株产生，并借助食物得以扩
散；……（第一课练习六：一）

(2) 太平洋岛国正使出浑身解数以化解气候变化引发的生存危机，
力求保住家园。（第一课练习七：一）

(3) 当地农民在他们的粮食作物周围种植红辣椒，形成一个缓冲
带，用以保护中间的玉米、高粱和其他作物。
(第二课练习六：二)

(4) 按照这项计划，中国将构建第一个专门的湿地政策、法律体
系，建立先进的湿地生态系统监测网络，以遏止人为因素导
致的天然湿地衰退趋势。（第二课练习七：二）

(5) 消费者可通过支付月租费等方式购买电池的使用权，并根据自
己的需要选择定价灵活的"套餐"计划，以购买充电行驶里程。
(第四课练习六：二)

(6) 将全世界的屋顶统统刷成白色，以将更多太阳光和热量反射
回太空，从而减缓全球变暖。（第四课练习七：二）

(7) 提高全民族的整体创新能力，以形成符合时代要求的独特的
创新文化。（第六课课文）

(8) 埃及文物部门采取了出卖考古项目电视拍摄权的形式以获取资
金。（第七课练习六：二）

(9) 如……四川九寨沟用提高门票价格的方式来调整进入人数以
保护自然生态，等等。（第七课练习七：二）

(10) 然后，像蟒蛇缠身一样，将软管一圈圈绕在腰至胸的部位，
而且应尽量多绕几圈，以增加浮力。（第十二课练习六：二）

● 用法三：起平衡音节的作用。如：

(1) 每年仅渔业经济损失就在 5000 万元以上。（第二课课文）

(2) 收获以后在当地被制成辣椒酱、辣椒粉和调味品，又给农民们增加了一份可观的收入。（第二课练习六：二）

(3) 在这个项目开展以前，一种解决问题的方法就是在农作物周围拉上保护电网。（第二课练习六：二）

(4) 但是在职人群，也就是中青年的锻炼比例较低，经常参与锻炼的人在 20%以下。（第十一课练习七：一）

3. 以……为……   表示"拿什么作为什么"的意思。

(1) 同时温室气体中以氟氯烃为主的气体对臭氧层有极大的破坏性，……（第一课课文）

(2) 目前地球正经历一场以变暖为主要特征的气候变化。

（第一课练习六：二）

(3) 500 名青少年被分成了多个小组，以小组为单位，各组的任务是设计一个以绿色能源为基础的产品或创意。（第一课练习七：二）

(4) 地处云南省迪庆藏族自治州的白马雪山自然保护区是中国现有面积最大的以保护滇金丝猴及其生存环境为目的的国家级自然保护区。（第二课练习七：一）

(5) 五大海洋环流圈内情况则更糟糕，尤以北太平洋环流为甚。

（第三课练习七：一）

(6) 以太阳能、风能等为代表的可再生能源让人们看到了曙光。

（第四课课文）

(7) 风能利用有风能动力和风力发电两种主要形式，其中又以风力发电为主。（第四课课文）

(8) 潮汐能资源以福建和浙江为最多，两地合计装机容量占全国总量的 88.3%。（第四课课文）

(9) 以英国为例，它的目标是到 2020 年将可再生能源发电量的比

例从目前的 2% 提升到 15%。 （第四课练习六：一）

(10) 一切展示活动都以观众为中心，…… （第五课课文）

(11) 我国古代以纸为载体的文化遗产很多，…… （第六课课文）

(12) 以历史学家休伊森为代表的"反遗派"认为，……

（第七课练习六：一）

(13) 这些公园"以林为体，以野为魂"，让北京人在邻近市区的地方欣赏大自然所赋予的美丽景色，尽情地享受郊游的快乐。

（第十一课课文）

4. 将　表示"把"的意思。如：

(1) 大菱鲆的亲鱼和苗种不慎将虹彩病毒携入。 （第二课课文）

(2) 今后 10 年内，有关省区还将通过移民、转产等形式停止耕种约 400 万公顷耕地，将其退还给草、湖、林。

（第二课练习七：二）

(3) 如果各国将所有房子的屋顶都刷成白色，将人行道变成水泥色而非深色调，其效果将相当于减少全世界道路上所有车辆 11 年排放的二氧化碳总量。 （第四课练习七：二）

(4) 扩大博物馆文化产品在文化市场的占有份额，将其生产创新的文化产品及服务为更多的人享用。 （第五课课文）

(5) 他们还增加了许多观众参与互动的环节，并将仓库、实验室及博物馆研究人员的工作场景展示给公众。 （第五课课文）

(6) 将博物馆列为免税机构，…… （第五课课文）

(7) 对于那些具有历史学、社会学、建筑学和科技、审美价值的废弃厂房，切莫急于将高炉烟囱简单地推倒铲平，将深井矿坑一股脑儿地填埋，将老旧的机器设备切割分解后当废铁卖掉，适于做旅游开发的便将其改造再利用。 （第五课练习六：二）

(8) 1956 年公私合营后，北京地毯厂（分一至八厂）将散落在各作坊的民间艺人整合起来，宫毯这项老手艺得以保全。

（第六课练习六：一）

(9) 他们掌握着文化资本，按照自己的理解对遗产进行解读，将遗产变成一种商品。（第七课练习六：一）

(10) "对话项目"的成功实施引发了世界范围对丝绸之路的浓厚兴趣，一些有识之士开始考虑将丝绸之路整体或部分地申报世界遗产。（第七课练习七：一）

(11) 虽然"网语"貌似艰涩，实际上不过是以通假、谐音等方式将原有的语言重新表述，……（第十课课文）

(12) 不过，这些中文并不是他本人所写，有专人将他写的博客翻译成中文。（第十课练习七：二）

(13) 大家都知道锻炼对健康有好处，但能将锻炼变为一种习惯的人还只是少数，……（第十一课练习七：一）

(14) 她告诉记者，古筝让人放松，与其纠结于职场琐事，不如将自己的身心寄托于更高的境界与情怀。（第十一课练习七：二）

(15) 将自身与艇系在一起，落水后很容易再爬上艇。

（第十二课练习六：二）

(16) 其方法是先把袋吹鼓胀，用细绳、缝衣线或橡皮筋将袋口扎住，再用绳子把它们一个个连结起来，形成一个圆圈状，……

（第十二课练习六：二）

(17) 只要将瓶中的汁水倒净，紧紧拧上瓶盖，再用绳子将瓶子串连起来就可以了。（第十二课练习六：二）

5. 自　表示"从"的意思。

(1) 资料表明，自1860年有记载以来，我国平均气温上升了0.75℃。　　　　　　　　　　　　　（第一课练习六：二）

(2) 参加此次夏令营活动的500名中小学生来自41个国家，包括中国。（第一课练习七：二）

(3) 自从2001年8月定居北京起，杜大卫就做起了免费"英文警察"，义务纠正博物馆等文化景点中的不规范英语标识。

(第五课练习六：一)

(4) 近 22 年来，52% 的抗病毒药物源自天然植物。

(第八课练习六：一)

(5) 国外传统医药市场基本被产自日本、韩国的"洋中药"占据，……(第八课练习六：一)

(6) 可自毕业以来，因为工作没着落，我反而当了几个月的"啃老族"。(第九课练习七：一)

(7) 自此，他便名正言顺地窝在家里。(第十课练习六：一)

(8) 依据自西北向东南不均匀变坡的山地特点，从山脚下到山顶，形成了从城市绿地到山间绿廊的过渡。(第十一课课文)

三、连接类

1. **与** 表示"和、跟"的意思，但更书面化。

● 用法一：表示 A 和 B 之间存在某种关系。如：

(1) 心脑血管疾病、呼吸系统疾病患者死亡率与气温的关系密切，……

(第一课课文)

(2) 这与日本在横滨、东京等城市的研究结果基本一致。

(第一课课文)

(3) 某些冰川融化释放的远古病毒会与现代的一些病毒基因进行交换，衍化出类似 SARS 的新型病毒。(第一课课文)

(4) 人口密集，流动加快，交通工具越来越发达，使得人类与致命病菌接触的机会大增。(第一课练习六：一)

(5) 我国除急需提高经济发展的科技含量外，还需与其他国家加强合作，共同发展减排技术。(第一课练习六：二)

(6) 这与准备应对战争般威胁有何不同？(第一课练习七：一)

(7) 与全球暖化相关的各式风暴正引发更多"霸王潮"灾难，导

致海水涌入海岛农田和淡水供应设施。 （第一课练习七：一）

(8) 滇金丝猴是中国特有的一级珍稀濒危保护动物，是地球上与人类相貌最相近的猴类，……（第二课练习七：一）

(9) 超市这种引导消费者购买塑料购物袋的做法，实际上与"限塑令"初衷相悖，……（第三课课文）

(10) 日常生活中每个细节都直接与碳排量有关。

（第三课练习六：一）

(11) 在政府的支持和引导下，包括女王贝娅特丽克丝在内的众多荷兰人都与自行车结下了不解之缘；……（第三课练习六：二）

(12) 不仅各城市都设有与主干道区别明显的自行车道，火车站等公共场所还有专门的"存车处"，……（第三课练习六：二）

(13) 这一数字与全球二氧化碳未来 10 年预计增加的排放总量大约相当。（第四课练习七：二）

(14) 在工业遗产旅游的开发中，应当注重与城市发展对接，营造环境氛围和配套服务设施，引进相关产业。只要让历史的记忆与时代的潮流完美结合起来，这样的工业旅游产品就必能在未来的发展中大放异彩。（第五课练习六：二）

(15) 现在游客可以自由地徜徉在古希腊雕塑之间，近距离与古代的美女、武士对话。（第五课练习七：一）

(16) 咖啡厅外侧是巨大的阳台，与雅典卫城近在咫尺，仿佛触手可及。（第五课练习七：一）

(17) 人们在这里不仅可以享受古代文化艺术大餐，还可以与朋友一起欣赏雅典城最美丽的景致。（第五课练习七：一）

(18) 神庙馆内高大精美的雕塑与玻璃幕墙外的雅典卫城遥相呼应。

（第五课练习七：一）

(19) 从文献记载出发，认为夹缬与蜡染相似；从民间工艺出发，认为夹缬与蓝印花布一样，……（第六课课文）

(20) 我们的工作就是自己制定标准，使中药标准国际化，实现与国际医药标准的"双向接轨"。（第八课练习六：一）

(21) 2001 年 8 月，他与人合资的"进步健身中心"在北京 CBD 商圈的大北窑开业。（第九课练习六：一）

(22) 海东博之大部分时间花在有机食品种植基地上，与农民打交道，大家都亲热地叫他"海东"。（第九课练习六：二）

(23) 作为"瘾者"，我知道我缺少朋友，与父母没有沟通。

(第十课练习六：二)

(24) 走进城市休闲公园，便道上一边有居民正在慢跑，另一边自行车运动爱好者在飞速骑行，"自然"与"运动"和谐共处着。

(第十一课课文)

(25) 他走入一条小路，进入森林深处，与家人走散。

(第十二课练习七：一)

(26) 与团队游相比，机票费是自助游的大头，……

(第十二课练习七：二)

● 用法二：表示两个并列的对象或行为。如：

(1) 共同建立推广湿地保护与持续性利用的示范模式。

(第二课练习七：二)

(2) "低碳"生活提倡的节约不仅是我国的传统美德，也是落实科学发展观、构建和谐社会和建设节约型社会和生态文明的综合创新与实践。（第三课练习六：一）

(3) 世界各国政府应该高度重视能源安全与气候变化问题。

(第四课练习六：一)

(4) 新博物馆建在雅典卫城脚下，地板与外墙都由玻璃制成。

(第五课练习七：一)

(5) 丝绸之路穿越两千年时空，横跨亚欧 15 国，全长 8000 多公里，在中国境内有 4400 多公里，沟通了亚欧非不同文明之间、不同民族之间的联系与往来，成为东西方交流的大通道。

(第七课练习七：一)

(6) 这位女博主名叫殷海洁，英国人，英国伦敦大学亚非学院博士毕业，研究中国当代诗歌与流行文化，是美国俄亥俄州立大学东亚系的老师。（第十课练习七：二）

(7) 整个公园绿树掩映，碧草如波，运动与休闲共入山水画中。

（第十一课课文）

(8) 湖面广阔的昆明湖与百年老树云集的万寿山，让颐和园有北京最好的空气质量，也成为有氧运动的最佳场所。

（第十一课练习六：二）

(9) 三名"驴友"与一名当地向导被猛涨的急流冲走。

（第十二课课文）

2. **而**　连词。可连接动词、形容词或词语、分句等。

● 用法一：连接两个互相对应的情况。"而"的前后主要是句子。如：

(1) 今年3月23日世界气象日的主题为"天气、气候和我们呼吸的空气"。而气候变化究竟会对人体健康产生怎样的影响？……对此作出了解读。（第一课课文）

(2) 我国是世界上最大的煤炭生产国，预计到2030年，美国的二氧化碳排放量将下降到全球排放总量的18.6%，而我国将上升到24.5%，适当的减排技术将非常重要。（第一课练习六：二）

(3) 1997年在我国海域首次记录有球形棕囊藻，而如今球形棕囊藻在渤海至南海海域均有分布，造成的危害和损失触目惊心。

（第二课课文）

(4) 这些特征包括眼睛退化、色素消失、鳞片数目减少或消失，而感觉系统高度发达等。（第二课练习六：一）

(5) 记者看到，农贸市场和路边摊贩几乎都还在提供和使用免费的塑料袋，而拎布袋等环保购物袋的消费者却是少数。

（第三课课文）

(6) 今年RWE公司在新能源上的投资至少将达到10亿欧元，而去年是13亿欧元。（第四课练习六：一）

(7) 浅色表面可以反射照射到其上的多达 80% 的阳光，<u>而深色表</u>面则只能反射大约 20% 的阳光，……（第四课练习七：二）

(8) 卢森菲尔德是加州劳伦斯伯克利国家实验室的物理学家，<u>而</u>朱棣文正是这所实验室的主任。（第四课练习七：二）

(9) 国外的博物馆和图书馆已经不再是文物库房和保管室，<u>而成</u>了市民休闲生活的重要场所，这一点在国内才刚刚开始。

（第五课课文）

(10) 目前我国已公布的第一批、第二批国家级非物质文化遗产项目代表性传承人共有 1488 位。<u>而随着第三批传承人的公布，</u>这个队伍将扩大很多。（第六课练习七：二）

(11) 历史并不是遥远的东西，我们每个人都身处在历史的演进之中，<u>而</u>一座城市的建设也不仅仅只是经济建设，文化建设有的时候更为重要。（第七课课文）

(12) 大部分文化遗产带给人们的是被扭曲了的历史，<u>而历史的真相</u>则早已在它成为"遗产"的那一刻被遗忘了。

（第七课练习六：一）

(13) "反遗派"作为一个反思性的文化团体，会长时间地存在下去。<u>而保护文化遗产的宏大事业，也将在与"反遗派"的不懈斗争中，不断反思，不断进步。（第七课练习六：一）

(14) 文化遗产如果出现风化、褪色等病害，既不能头痛医头，脚痛医脚，也不能病急乱投医，<u>而需要搞科研，以相应的技术</u>去治理。（第七课练习七：二）

(15) 西医看到的是清晰的局部，<u>而中医看到的是模糊的整体，……</u>

（第八课课文）

(16) 前者勾勒出一个轮廓，模糊<u>而</u>写意；后者描绘出许多细节，精确<u>而</u>写实。（第八课课文）

(17) 板蓝根是抗病毒中药的一个最典型代表，在中国有 2000 多年的应用历史，临床效果良好，<u>而体外抗病毒筛选也基本证实</u>了其确切疗效。（第八课练习六：一）

(18) 这是一起目前正在马拉加 3 号法庭进行诉讼的案件，案件的原告是西班牙检察院，而被告则是一位在当地生活的中国籍老奶奶。（第八课练习七：二）

(19) 遇挫者，便龟缩一团，形成一团"橡皮质"开始自我保护；而短暂的成功，则换来更高的期待值。（第九课课文）

(20) 对后来居上的上司，总觉得他是个外行而心怀不满，而对新人，则更加干脆视而不见。（第九课课文）

(21) 自卑的人总是更需要自我保护，来保证自己不是弱者，而"橡皮质"的外壳强度和韧性成了自卑者最佳的选择。

（第九课课文）

(22) 对职场中不公平不如意的事情心里很恼火，恼火不能化解便反击，而反击无效的时候，只有听之任之，用沉默来表示一种无声的对抗。（第九课课文）

(23) 事实上，任何新词语都是新事物、新概念的反映，只要时代在前进，新语汇的出现就是必然的，而新语汇的出现，又是对传统语言的丰富和发展。（第十课课文）

(24) 近些年，美国报界广告收入持续下滑，广告商更愿意向费用低廉的网络传媒进军，而自去年以来的经济衰退更是令报纸广告营销举步维艰。（第十课练习七：一）

(25) 与一般的公园不同，郊野公园多远离中心市区而位于城郊，面积要比市区公园大许多。（第十一课课文）

(26) 那么，怎样才能从根本上，而不是从形式上使肌体对紧张产生生理保护性的反应呢？（第十一课练习六：一）

(27) 山地户外运动的门类很多，其中溯溪的风险系数非常高，而大多数人对风险存在侥幸心理。（第十二课课文）

● 用法二：连接原因（行为）与结果。如：

(1) 食源性疾病的发病率也会因气候持续变暖而上升。（第一课课文）

(2) 近30年来，人类的一些社会、经济行为破坏了原有的自然生态平衡，……导致一些病原体跨越物种屏障而感染人类。

（第一课练习六：一）

(3) 我们发现，我们（家族）的墓地、海滩和特有物种离我们而去。（第一课练习七：一）

(4) 致使大片红树林消失，滩涂鱼、虾、贝等海洋经济生物纷纷被赶走，滩涂上的海带、紫菜因缺乏营养而逐年减产，……

（第二课课文）

(5) 它们终生生活在无阳光的环境下，发生适应性演变而形成一群特殊的鱼类，……（第二课练习六：一）

(6) 尽管知道塑料袋对环境会造成污染，也觉得自己应该为了保护环境而减少塑料袋的使用，但为了方便，仍很难改变大量使用塑料袋的习惯。（第三课课文）

(7) 生物质能是绿色植物通过叶绿素将太阳能转化为化学能而贮存在生物质内部的能量。（第四课课文）

(8) 明代先人为了捣纸料时能反复利用水利资源，顺流而下建成四座水碓房，因而把这个造纸作坊命名为四连碓。（第六课课文）

(9) 花板凸出处由于夹紧而不能染上色彩，但花板凹入处可上染，由此染得图案。（第六课课文）

(10) 没有新人愿学织毯，好不容易招来的人，干不到几个月，就因为太累而走人。（第六课练习六：一）

(11) 一段类似念白的开场之后，乐器奏出欢快的音符，歌者应声而和，"舞蹈大叔"肉孜·阿尤甫开始带头跳舞。

（第六课练习七：一）

(12) 中医首先看的是"人"——缺乏明确物质基础而相对"模糊"的整体，……（第八课课文）

(13) 有清香扑鼻而来，抬眼望去，却是槐花悄然绽放。

（第十一课课文）

(14) 从此，即便有大量的工作要做，我也不再为此而感到困惑了，对于情绪紧张也有了更强的忍耐力。（第十一课练习六：一）

(15) 随着溪水的源头逆流而上，穿越峡谷地带，水流急，落差大，很危险。（第十二课课文）

(16) 有时，船体猛撞礁石，突碰冰山，那么，船上救生艇的降落设施也可能因损坏而失灵。（第十二课练习六：二）

(17) 他在距离森林主路300米处丢下一张食品包装纸，前行大约400米后因嫌背包过重而丢弃背包。（第十二课练习七：一）

● 用法三：成为其他词语的一部分。如：

(1) 气候变暖除了直接影响人体外，还可以通过改变降雨量、风速、湿度等气象条件来影响大气污染物浓度，进而间接影响人类健康。（第一课课文）

(2) 如今，很多食品都是集中包装供应，也可能造成病毒交叉传播，从而污染食物，引起传染病暴发。（第一课练习六：一）

(3) 然而这种方法不仅耗资巨大，大多数发展中国家的农民和当地政府难以承受，而且还会对野象或其他动物造成伤害，……

（第二课练习六：二）

(4) 这份报告指出，提高可再生能源在能源中的份额，不仅不会危及经济发展，反而会刺激经济增长，创造更多就业。

（第四课练习六：一）

(5) 当地维吾尔人说，在他们眼里，木卡姆不是不可触及的艺术，而是他们的生活。（第六课练习七：一）

(6) 在全球化的进程中，悠久的历史和丰厚的文化遗产给我们提供了一个坚实的立足点，但也仅仅是一个立足点而已。

（第七课练习六：一）

(7) 只好停止纸质新闻报纸的出版，转而借助网络经营报纸。

（第十课练习七：一）

3. 而言　表示"来说"的意思，标明话题。

(1) 对太平洋岛国而言，这种安全问题已成为令人震惊的现实。

(第一课练习七：一)

(2) 就现阶段而言，热带气旋灾害对太平洋岛国的威胁程度比海平面上升还大。(第一课练习七：一)

(3) 政府虽对农民进行补偿，但相对农民的损失而言，这些补偿却往往是杯水车薪。(第二课练习六：二)

(4) 20世纪文化遗产相对于更古老或更传统的遗产而言，较少得到人们的认同和保护。(第七课课文)

4. 即　用于对某个事物进行解释，相当于"也就是"。

(1) 还有一个弄钱的办法，即收取复制文物的版权费用。

(第七课练习六：二)

(2) "宅"，即待在家里，足不出户——要工作，打开网络即可，或写作，或设计，或商务，或谈判；……(第十课练习六：一)

(3) 据《中国青年报》社调中心与"新浪网"新闻中心合作的一项调查显示，在受访者4610人中，有一多半即56.9%的人认为，自己身边存在"宅男宅女"。(第十课练习六：一)

(4) 网络上，有人把"宅"分为三种类型，即精英气质的"御宅族"、藏家气质的"御宅族"、自闭气质的"御宅族"。

(第十课练习六：一)

(5) 有着高度的参考资料的搜寻能力，即有着较高的SQ，能够在信息海洋中尽情遨游，……(第十课练习六：一)

(6) 从严格意义上说，在一个队伍中，领队与队员的合理配比应该确保在1:8，即队员每增加8人，就要增设一个领队。

(第十二课课文)

四、数量类

1. 数　shù，表示"几"的意思，多个。

　　(1) 数十岛国组成联盟，呼吁发达国家在 2020 年至少将温室气体排放量削减至 1990 年水平的一半左右。（第一课练习七：一）

　　(2) 人们得花上数年时间了解问题，解决问题。（第三课练习七：一）

　　(3) 开始认为跑三千米对我来说简直是不可思议的事，但经过数月坚持不懈的努力，还是达到了这个标准。（第十一课练习六：一）

2. 余　　表示十以上的尾数，相当于"几"或"多"。

　　(1) 时至今日，唯有地毯五厂坚持生产，掌握传统技艺的技师仅十余人，……（第六课练习六：一）

　　(2) 目前《世界遗产名录》中的 20 世纪遗产已有 30 余处，……

　　　　　　　　　　　　　　　　　　　　　　　　（第七课课文）

　　(3) 这些公园不仅每年可吸收二氧化碳 13 万余吨，释放氧气 10 万余吨，成为北京人身边的"绿肺"，而且可解决 4000 余人的就业问题，成为园林绿化工人的"绿饭碗"。（第十一课课文）

3. 至　经常用来表示一定的数量范围，意为"到"。

　　(1) 全球气温本世纪可能上升 1.1 摄氏度至 6.4 摄氏度，海平面上升约 18 厘米至 59 厘米。（第一课练习七：一）

　　(2) 数十岛国组成联盟，呼吁发达国家在 2020 年至少将温室气体排放量削减至 1990 年水平的一半左右。（第一课练习七：一）

　　(3) 浙江省宁海县越溪乡小林村的一个水产养殖场每年损失几万元至几十万元，……（第二课课文）

　　(4) 截至 2006 年，福建、辽宁、河北、山东、江苏和广东发现大米草的分布总面积约 80 万公顷，5 省的海水养殖产量一路下跌，直接经济损失 37.49 亿元。（第二课课文）

(5) 至今已传承 564 年，至第 27 代传人，至今只有张本兴老人一人在承担着对智化寺京音乐的口传心授工作。（第六课练习六：一）

(6) 在南疆维吾尔人聚居的绿洲内，上至八旬老人，下至年幼的孩童，都能或多或少地参与木卡姆表演。（第六课练习七：一）

4. 约　　表示"大约"的意思。

(1) 他举例说，我国年平均登陆台风约 7.8 次。

（第一课练习六：二）

(2) 全球气温本世纪可能上升 1.1 摄氏度至 6.4 摄氏度，海平面上升约 18 厘米至 59 厘米。在上个世纪，全球海平面已经上升约 17 厘米。（第一课练习七：一）

(3) 福建、辽宁、河北、山东、江苏和广东发现大米草的分布总面积约 80 万公顷，……（第二课课文）

(4) 经初步调查，目前我国海洋和海岸、滩涂约有 141 种外来物种，……（第二课课文）

(5) "塑料漩涡"距美国西海岸超过 500 海里（926 公里），面积约有两个得克萨斯州大小。（第三课练习七：一）

5. 仅　　"只（有）"的意思，用于限定数量范围。

(1) 每年仅渔业经济损失就在 5000 万元以上。（第二课课文）

(2) 原来生活在这里的 200 多种生物现仅存 20 多种。

（第二课课文）

(3) 目前法国、德国等汽车大国都还没有形成大规模的充电网络，仅在一些电动汽车试运行的地区才能见到少量充电站。

（第四课练习六：二）

(4) 各种展览和活动都很仔细地按照年龄段来细分，仅针对孩子的就有自制乐器、制作中世纪羊皮卷乐谱、举办模拟中世纪宫廷宴会等活动。（第五课课文）

(5) 日本九州博物馆的藏品仅 2000 余件，但其参观人次却位居日本各大博物馆前列。（第五课课文）

五、时间类

1. 近日　离今天很近的过去某一天。

(1) 近日，一年一度的世界遗产大会在加拿大的魁北克召开，我国的福建土楼成功入选《世界遗产名录》，再一次引发了国人对文化遗产保护的关注。（第七课练习六：一）

2. 日前　昨天。

(1) 日前，第一次面对中国记者，在成都生活了 10 多年的日本人海东博之用不太流利的成都话说道。（第九课练习六：二）

3. 翌日　"第二天"的意思。

(1) 翌日，走进我办公室的他，穿着白色的衬衫、深色的裤子、黑色的皮鞋和袜子，衣服有些旧，但干净朴素。

（第九课练习七：二）

4. 昔日　"过去"的意思。

(1) 一改昔日寂静黑暗的环境，洞内蝙蝠和鱼类均受到直接和间接的生存干扰。（第二课练习六：一）

5. 迄今　"到现在"的意思。

(1) 但由于缺乏有效管理，美国红鱼不断逃逸，其侵略性和扩张性的生态特点对我国海洋生态的危害和影响迄今难以估算。

（第二课课文）

6. 尔后　"以后"的意思。

(1) 16 日，这家百岁老报印出最后一期报纸供 17 日上市，尔后告

别"纸质新闻"年代。（第十课练习七：一）

7. 届时　表示计划中将来的某个时间。
   (1) 届时，探险队将从旧金山启程驶向夏威夷，然后返回，两次经过"塑料漩涡"，预计花费 50 天。（第三课练习七：一）

8. 曾　"曾经"的意思。
   (1) 我 2008 年在瑞士大学演讲时，曾把这五个问题送给全体院士，……（第一课练习六：二）
   (2) 但正如科技史专家李约瑟曾提出的，中国重要的发明技术远不止这四项。（第六课课文）
   (3) 曾几何时，这是众多都市白领的生活写照。（第十一课练习七：二）

9. 已　"已经"的意思。
   (1) 目前我国几乎全部草场都已退化，……（第一课练习六：二）
   (2) 现在张家界已恢复原始风貌。（第七课练习七：二）

六、否定类

1. 无　表示"没有"。
   (1) 那里无人管辖。没有政府对那里完全负责，因此清理工作得不到任何帮助。（第三课练习七：一）
   (2) 届时，古代雅典的浴池、手工作坊、小径将会一一呈现在游客眼前，给人无尽想象的空间。（第五课练习七：一）
   (3) 开设卢浮宫博物馆网站中文版能够让许多中国网民使用自己的母语了解卢浮宫的历史和馆藏，对于卢浮宫博物馆无疑是一个很好的宣传和推广，……（第五课练习七：二）
   (4) 我今年 47 岁，身体不错，我育有一女，却无法传授。
   （第六课练习六：一）

(5) 但目前傅文刚的艺术团处于"三无"境况：无固定收入，无固定演出场所，无固定表演人员。 (第六课练习六：一)

(6) 现在时常心中苦叹，年轻人宁学一年跆拳道，不看一场掼跤，无市场便无徒弟，无徒弟便无传人。 (第六课练习六：一)

(7) 最年轻的技师也年过 40 岁，20 年无新人员进入。

(第六课练习六：一)

(8) 他的公司简单地说就是把一块用过农药、化肥的土地改造成一个无农药无化肥的有机食品种植基地，…… (第九课练习六：二)

(9) 至于你如何处理这些广告，自然与他无关。 (第九课练习七：二)

(10) 如果只是一种喜好，或者工作需要，不影响正常生活，就无需大惊小怪；…… (第十课练习六：二)

(11) 美国传媒业处境艰难，处于"接近自由落体"的危险状态，已无多少时间再追求新商业模式和进行自我改造。

(第十课练习七：一)

(12) 去年出现的两种现象使得报业自身进行改造的时间更加紧迫，一是由看报纸转为上网看新闻的读者人数激增，二是经济衰退使报纸无力开拓新的赢利渠道。 (第十课练习七：一)

(13) 随便找根绳子就敢攀岩，毫无野外生存技能就敢进山。

(第十二课课文)

(14) 如果上游发生暴雨，人在峡谷中穿行几乎无路可逃。

(第十二课课文)

2. 未　表示"从以前到现在没有"的意思。

(1) 由于人类从未接触过这些病毒，对其缺乏免疫力，因此这些病毒具有极大威胁性。 (第一课课文)

(2) 现有兽用疫苗尚未覆盖已发现的传染病，更不用说新发现的，因此无法全面起到免疫保护作用；…… (第一课练习六：一)

(3) 国内众多博物馆都仍未"断奶"。 (第五课课文)

(4) 第二批评审中，有一些未见于以前著录的善本出现，……

（第六课练习七：二）

(5) 虽然申遗未果，却引发了人们对 20 世纪人类遗产的重新审视和思考。（第七课课文）

(6) 但这一说法并未得到广泛认同，国际上也没有统一标准。

（第十课练习六：二）

(7) 这份报纸多年亏损，公司从 1 月开始出售报社，但至今未找到买家，……（第十课练习七：一）

七、肯定类

为　wéi

● 用法一：动词表示判断或肯定，与"是"类似。

(1) 今年 3 月 23 日世界气象日的主题为"天气、气候和我们呼吸的空气"。（第一课课文）

(2) 年平均气象灾害造成损失为 1928 亿元，死亡人数为 4000 多人，受灾人口为 3.9 亿人，……（第一课练习六：二）

(3) 三洞分别是泸源洞、玉柱洞和碧玉洞，一暗河为玉笋河，河水最终流出洞外，注入南盘江，属南盘江水系。

（第二课练习六：一）

(4) 在为期一年的时间内，由美国国立卫生研究院提供的世界先进的病毒模型对白云山板蓝根颗粒抗病毒作用进行筛查。

（第八课练习六：一）

(5) 这些"洋打工"多为学历较高者，其中博士占 2.6%，硕士占 16.4%，大学生占 69.4%。（第九课练习六：一）

(6) 本博客(博)主为年轻老外，文字和思想上的错误是必然的！

（第十课练习七：二）

(7) 记者看到的最近开写的一个中文博客博主名为"王渊源"，来自美国北卡州，现居住于北京。（第十课练习七：二）

(8) 个人一年两次体检为宜。（第十一课练习七：一）

● 用法二：出现在变化动词的后面，成为的意思。

(1) 自行车已经晋升为继风车、郁金香和木鞋之后荷兰的又一张"国家名片"。（第三课练习六：二）

(2) 据估计，到达地球的太阳能中大约2%转化为风能，……

（第四课课文）

(3) 车间可以改装为迪厅、音乐厅；……（第五课练习六：二）

(4) 被誉为古代造纸"活化石"的四连碓造纸作坊，位于浙江省温州市瓯海区的一个小镇——泽雅。（第六课课文）

(5) 宝三在北京天桥设跤场，开创了自己独特的掼跤艺术，被称为"武相声"。（第六课练习六：一）

(6) 去年6月宫廷正骨被批准列为国家非物质遗产项目。

（第六课练习六：一）

(7) 这台定位为"皮影舞台剧"的《红孩儿》其实是一次重要尝试，……（第六课练习六：二）

(8) 2005年11月，十二木卡姆被联合国教科文组织评为"第三批世界人类口头和非物质文化遗产代表作"。

（第六课练习七：一）

(9) "鲜活白领"退化为"橡皮白领"，内心有很多无奈和放弃。

（第九课课文）

(10) 没想到父母辛辛苦苦一辈子，省吃俭用培养我读大学，毕业以后，我居然沦落为厕所清洁工。（第九课练习七：一）

(11) 人们把它概括为"宅"。（第十课练习六：一）

(12) 去年出现的两种现象使得报业自身进行改造的时间更加紧迫，一是由看报纸转为上网看新闻的读者人数激增，二是经济衰退使报纸无力开拓新的赢利渠道。（第十课练习七：一）

(13) 公园分为中心景区、森林氧吧区、运动场区、健身休闲区和管理服务区五大景区。（第十一课课文）

(14) 槐园原只是槐树杂生的"荒地"，在确定为北京郊野公园的规划项目后，这里变成了一个槐树的世界。（第十一课课文）

(15) 在新增多种常绿落叶乔木以及鲜花灌木之后，整个公园从原来的"荒郊野地"摇身转变为颇具欣赏价值的秀美园林。

（第十一课课文）

(16) 变被动防守型的看病吃药为主动出击型的锻炼检查，用健康的生活方式搭建起一个坚固的防病屏障。（第十一课练习七：一）

● 用法三：用在程度副词后，表示程度高。其实"为"在这种情况下主要起补足音节作用。

(1) 在阳光明媚的午后，全家人戴上头盔，蹬上自行车，一起到户外旅行，是时下颇为流行的休闲方式。（第三课练习六：二）

(2) 我国的海区潮汐资源相当丰富，潮汐类型多种多样，是世界海洋潮汐类型最为丰富的海区之一，……（第四课课文）

(3) 历史并不是遥远的东西，我们每个人都身处在历史的演进之中，而一座城市的建设也不仅仅只是经济建设，文化建设有的时候更为重要。（第七课课文）

(4) 报告说，包括报纸、杂志、网络媒体、电视和电台在内的整个美国传媒业情况不佳，而日报和周刊尤为严重。

（第十课练习七：一）

● 用法四：介词，用在被动句中，相当于"被"。

(1) 他们的辛勤工作和精湛医术逐渐使中医为非洲人民所熟悉和接受。（第八课练习六：二）

(2) 所以如今的一些网络新词语，如"网虫""黑客""伊妹儿""灌水"等，也会逐渐为人们所熟悉和接受。（第十课课文）

(3) 走出健康，正为千千万万的北京人坚定不移地身体力行着。

（第十一课练习六：二）

附录 4

练习参考答案

第一课

一、C

二、略

三、1. B   2. B   3. D   4. C   5. D

四、1. B   2. A   3. A   4. B   5. C

五、1. B A D C   2. C B D A   3. A C D B

     4. C B D A   5. D C B A

六、（一）1. B   2. D   3. D   4. B   5. D

    （二）1. A   2. B   3. C   4. A   5. C

七、（一）1. √   2. ×   3. ×   4. ×   5. ×

    （二）1. ×   2. √   3. √   4. √   5. √

第二课

一、A

二、略

三、1. C   2. C   3. B   4. B   5. D

四、1. C   2. D   3. B   4. D   5. D

五、1. D B C A   2. C A D B   3. B D C A

     4. D C A B   5. C A D B

六、（一）1. D   2. C   3. C   4. D   5. B

    （二）1. D   2. C   3. B   4. B   5. C

七、（一）1. √   2. ×   3. ×   4. ×   5. ×

    （二）1. √   2. ×   3. √   4. √   5. ×

第三课

一、B

二、略

三、1. B   2. A   3. A   4. D   5. A

四、1. C   2. A   3. D   4. D   5. A

五、1. D A C B   2. C B A A   3. B A C D

　　4. D C B A   5. A D C B

六、（一）1. B   2. B   3. A   4. B   5. B

　　（二）1. A   2. D   3. C   4. B   5. C

七、（一）1. ×   2. ×   3. ×   4. √   5. √

　　（二）1. ×   2. ×   3. √   4. ×   5. ×

第四课

一、A

二、略

三、1. D   2. B   3. D   4. C   5. D

四、1. B   2. A   3. A   4. A   5. D

五、1. C B D A   2. C A D B   3. D A C B

　　4. C D B A   5. A D B C

六、（一）1. C   2. A   3. B   4. A   5. B

　　（二）1. B   2. C   3. D   4. B   5. A

七、（一）1. √   2. ×   3. √   4. √   5. ×

　　（二）1. ×   2. √   3. ×   4. ×   5. ×

单元复习一

一、1. 应对   2. 担忧   促使   导致   3. 呼吁   4. 蕴藏   5. 实施

　　6. 扩散   7. 化解   8. 节能   9. 推广   10. 曝光

二、1. 显示　　　2. 透露　　　3. 表明　　　4. 指出　　　5. 估计

三、　1. 一本正经　　　2. 燃眉之急 / 迫在眉睫　　　3. 敬而远之

　　　4. 使出浑身解数　　5. 迫在眉睫 / 燃眉之急　　6. 结下了不解之缘

　　　7. 如数家珍　　　8. 杯水车薪　　　9. 用之不竭

　　　10. 熙熙攘攘

四、

由于疾病在较温暖的条件下容易传播　　　皮肤癌、白内障的发病率上升

由于沉睡的病毒随温度升高开始活跃　　　食源性疾病的发病率上升

由于高温对臭氧层的破坏　　　海平面上升

由于花粉浓度随温度升高而增加　　　新型传染病可能爆发

由于冰川会随温度升高而融化　　　过敏性疾病发病率增加

五、1—B　　　2—D　　　3—A　　　4—C

六、略

七、略

八、略

第五课

一、A

二、略

三、1. D　　　2. C　　　3. A　　　4. C　　　5. B

四、1. C　　　2. B　　　3. C　　　4. B　　　5. D

五、1. B C A D　　　2. D A B C　　　3. B D A C

　　　4. C A B D　　　5. B A D C

六、（一）1. B　　　2. D　　　3. B　　　4. A　　　5. C

　　　（二）1. D　　　2. B　　　3. D　　　4. D　　　5. A

七、（一）1. ×　　　2. ×　　　3. √　　　4. √　　　5. ×

　　　（二）1. ×　　　2. √　　　3. √　　　4. √

第六课

一、A

二、略

三、1. C　　2. D　　3. A　　4. C　　5. C

四、1. B　　2. C　　3. C　　4. B　　5. B

五、1. D C B A　　2. C B D A　　　　3. D A C B

　　4. B C D A　　5. D B A C

六、（一）1. D　　2. A　　3. D　　4. A　　5. C

　　（二）1. C　　2. C　　3. B　　4. D　　5. A

七、（一）1. ×　　2. √　　3. √　　4. ×　　5. ×

　　（二）1. √　　2. ×　　3. √　　4. ×　　5. ×

第七课

一、B

二、略

三、1. B　　2. C　　3. C　　4. C　　5. D

四、1. C　　2. C　　3. D　　4. B　　5. D

五、1. D A C B　　2. B D A C　　　　3. C B A D

　　4. C B A D　　5. B A D C

六、（一）1. C　　2. B　　3. C　　4. D　　5. A

　　（二）1. B　　2. A　　3. A　　4. A　　5. D

七、（一）1. √　　2. ×　　3. ×　　4. ×　　5. √

　　（二）1. ×　　2. √　　3. √　　4. √　　5. √

第八课

一、B

二、略

三、1. C   2. D   3. A   4. C   5. A

四、1. B   2. D   3. B   4. A   5. B

五、1. D C B A   2. C D B A   3. B D A C

     4. B D A C   5. C D B A

六、（一）1. C   2. C   3. D   4. D   5. A

    （二）1. A   2. C   3. A   4. C   5. D

七、（一）1. √   2. ×   3. ×   4. √   5. √

    （二）1. ×   2. √   3. √   4. √   5. √

单元复习二

一、1. 补贴   2. 改善   3. 设施 展品   4. 命名   5. 历程

    6. 申报 否决   7. 见证   8. 列入   9. 突破   10. 致使

二、1. 按照   2. 与会   3. 表示   4. 提出   5. 说起

    6. 截至   7. 统计   8. 解释   9. 据悉   10. 记载

三、1. 会聚一堂   2. 究其原因   3. 裹足不前   4. 走下坡路

    5. 形影不离   6. 不容忽视   7. 截然不同   8. 名副其实

    9. 不解之缘   10. 竖起大拇指

四、

博物馆、图书馆等文化机构 ——— 仍能成为世界上最大的图书馆之一

泽雅的古法造纸 ——— 是张玉亭代表作之一

《红楼梦》中袭人的形象 ——— 是世界四大文明古国之一

北京的手工织毯也称"宫毯" ——— 是衡量城市文明的重要标准之一

埃及 ——— 是中国最原始、最完整的古法造纸术之一

埃及希望"复活"的亚历山大图书馆 ——— "燕京八绝"之一

五、1. ① B   ② D   ③ A   ④ C

    2. ① B   ② D   ③ A   ④ C

    3. ① C   ② B   ③ A

六、略

七、略

八、略

第九课

一、B

二、略

三、1. C　　　2. D　　　　3. A　　　4. B　　　5. A

四、1. A　　　2. B　　　　3. D　　　4. C　　　5. B

五、1. B A D C　　　2. D C B A　　　　3. C A D B

　　4. D A C B　　　5. B D C A

六、（一）1. A　　　2. B　　　3. A　　　4. C　　　5. A

　　（二）1. B　　　2. D　　　3. A　　　4. D　　　5. D

七、（一）1. ×　　　2. ×　　　3. ×　　　4. √　　　5. √

　　（二）1. ×　　　2. √　　　3. ×　　　4. ×　　　5. √

第十课

一、A

二、略

三、1. A　　　2. C　　　　3. C　　　4. D　　　5. C

四、1. B　　　2. B　　　　3. A　　　4. C　　　5. C

五、1. D C A B　　　2. A D C B　　　　3. C A D B

　　4. D C B A　　　5. A C B D

六、（一）1. B　　　2. D　　　3. D　　　4. C　　　5. D

　　（二）1. C　　　2. D　　　3. C　　　4. A　　　5. D

七、（一）1. ×　　　2. √　　　3. ×　　　4. √　　　5. √

　　（二）1. ×　　　2. ×　　　3. ×　　　4. √　　　5. ×

第十一课

一、A

二、略

三、1. B　　2. A　　3. D　　4. D　　5. D

四、1. B　　2. A　　3. A　　4. C　　5. B

五、1. C A D B　　2. B D C A　　3. D A C B

　　4. B A D C　　5. D B C A

六、（一）1. D　　2. A　　3. C　　4. C　　5. A

　　（二）1. B　　2. C　　3. B　　4. C　　5. B

七、（一）1. ×　　2. √　　3. ×　　4. √　　5. ×

　　（二）1. ×　　2. √　　3. ×　　4. √　　5. ×

第十二课

一、B

二、略

三、1. B　　2. A　　3. C　　4. C　　5. A

四、1. C　　2. C　　3. A　　4. B　　5. C

五、1. C D B A　　2. C A D B　　3. B C D A

　　4. A C B D　　5. D C B A

六、（一）1. A　　2. C　　3. D　　4. D　　5. C

　　（二）1. A　　2. B　　3. C　　4. D　　5. B

七、（一）1. √　　2. √　　3. √　　4. ×　　5. √

　　（二）1. ×　　2. √　　3. √　　4. √　　5. √

单元复习三

一、1. 退化　　2. 升迁　　3. 平台　　4. 俏皮　　5. 收录

　　6. 开放　　7. 发端　　8. 亟需　　9. 规范　　10. 精力

二、1. ① 强调　　　　② 是因为　　　　③ 作为　　　　④ 按

　　2. ① 比如　　　　② 据说　　　　　③ 但是　　　　④ 其实

　　3. ① 更是　　　　② 因为　　　　　③ 自然　　　　④ 加之

　　　　⑤ 而且　　　　⑥ 因此

　　4. ① 统计　　　　② 从严格意义上说　　③ 即　　　　④ 由于

　　　　⑤ 对此　　　　⑥ 建议　　　　　　⑦ 但是　　　⑧ 目前来说

三、1. 无所谓　　　 2. 不切实际　　　 3. 心灰意冷　　　 4. 饱受争议

　　5. 轻松幽默　　　 6. 约定俗成　　　 7. 旁若无人　　　 8. 四通八达

　　9. 敲响警钟　　　 10. 一腔热情

四、1—D　　2—B　　3—E　　4—A　　5—F　　6—C

五、1. ① C　　　② A　　　③ B

　　2. ① C　　　② B　　　③ D　　　　④ A

　　3. ① B　　　② A　　　③ D　　　　④ E　　　⑤ C

六、略

七、略

八、略